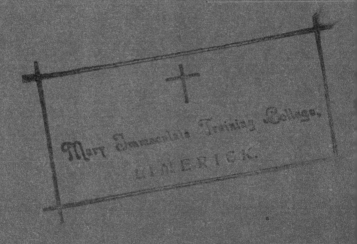

MARAÍODH SEÁN SABHAT ARÉIR

MAINCHÍN SEOIGHE

MARAÍODH

SEÁN SABHAT

ARÉIR

SÁIRSÉAL AGUS DILL
BAILE ÁTHA CLIATH

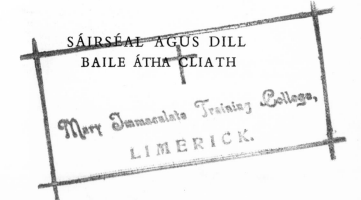

An Chéad Chló 1964

9 873

CLÁR

NA PICTIÚIR

MARAÍODH
SEÁN SABHAT
ARÉIR

MARAÍODH SEÁN SABHAT ARÉIR

Casfad murlán an raidió go gcloisfead nuacht an lae,
A dúras, ar nós cuma liom, óir is nós leamh againn é
Leathchluas a thabhairt don ghlór sin le linn chomhrá
    an tae.
Agus dúirt glór an raidió:
' *Maraíodh Seán Sabhat aréir.* '

Is mó rud a chualas ó shin:
Caoga míle Gael ag siúl sa tsochraid,
Ógfhear ag óráidíocht ag ceann an tslua,
Ceol na laoch sa reilig ag na stocairí;
Do mháthair, a Sheáin, do do chaoineadh
Ag béal na huagha.

Ina dhiaidh sin arís chualas
' Taoiseach na hÉireann,'
Gan focal Gaeilge aige,
Á rá gurbh amaideach an mhaise duitse
Dul ó thuaidh agus gunna agat
Ag fógairt don domhan mór
Go bhfuil an cúigiú cuid
Den tír seo na hÉireann
Fé mheirge Shasana,
Ach go bhfuil fir fhoirtile
Fós ar shliocht na laochra
Ná fuil sásta suí thart
Ag caint is ag tnúth
Leis an lá breá gréine buí

Nuair a dhéanfaidh
Geal den dubh.

Maise, a Sheáin, bhí miongháire mealltach agat,
  Agus dhéanfá é ach ' Taoiseach na hÉireann ' a chlos:
' Good-night ! ' ar seisean le pobal na tíre.
' Ní ionann Éire dúinn,' a déarfá go séimh.

Chualas leis go ndúirt daoine
Gur peaca marfach é
Don té a dhéanann
A ndearna tusa.

Maise, a Sheáin, a naomhchroí,
Is mór an trua ná raibh aithne
Ag na daoine maithe sin ortsa.

Cad tá romham le cloisint
Le linn chomhrá an tae
Nuair a chasfad murlán an raidió ?
Beidh an glór ar na seanfhoinn,
Na polaiteoirí ag plé
Le seo, siúd is sin:
An saol mar a bhí,
Gan ach leathchluas orainn
Do raiméis úr an lae.
Bíodh sin mar a bheidh:
Cuimhneoidh cine Gael
Go ndúirt an glór sin linn:
' Maraíodh Seán Sabhat aréir.'

—Críostóir ó Floinn

Luimníoch é Críostóir ó Floinn a raibh aithne mhaith aige ar Sheán Sabhat. Cheap sé an dán seo tar éis caint an Taoisigh, an tUasal Seán ó Coistealbha, a chlos ar Raidió Éireann, oíche Dhomhnaigh an 6ú Eanáir, 1957. Cháin an Taoiseach go láidir an feachtas míleata a bhí ar siúl le roinnt seachtainí roimhe sin sna Sé Chontae.

BEATHA
SHEÁIN SABHAT

I

D'FHÁG SEÁN SABHAT LUIMNEACH ar an 9ú Nollaig 1956 ar a thuras ó thuaidh. Sular fhág sé an chathair sheol sé nóta chuig cara leis. B'é rud a bhí sa nóta: ' Guigh orm. Seadaire.' Bhí an cinneadh mór deireanach déanta. Bhí Seán Sabhat anois san IRA. Agus bhí an tIRA ar tí feachtas míleata a chur ar siúl sna Sé Chontae.

Bhí a fhios ag Seán go maith agus é ag tosú amach ar an mbóthar ó thuaidh go bhféadfadh gur ansin a bheadh fód a bháis. Ach níorbh aon fhear obtha é; i ndiaidh a raibh scríofa aige mar gheall ar an ngá a bhí le troid dhéanfadh sé beart de réir a bhriathra. Bhí buidéal d'uisce Lourdes ina phóca aige; bhí muinín aige as Dia; agus bhí sé sásta go raibh an rud ceart á dhéanamh aige.

Stop sé féin agus a chomrádaithe ag teach áit éigin i lár na hÉireann. Bhí dreamanna as gach aird ag déanamh ar an teach sin an oíche sin, ag scaipeadh arís, agus ag leanúint ar aghaidh i dtreo na Teorann. Bhí an óige mhífhoighneach, an óige fhial fhéiníobartach, ag brostú chun catha i gcoinne fhorlámhas Gall in Éirinn. Agus má táid le lochtú tá an dúchas a spreag chun gnímh iad le lochtú freisin.

Níor buaileadh an buille ar an sprioclá, toisc deacrachtaí áirithe a d'éirigh ag an nóiméad deireanach. Ach buaileadh é cúpla lá ina dhiaidh sin. Agus buaileadh go trom é. Oíche an 11ú-12ú de Mhí na Nollag chualathas lámhach gunnaí agus torann pléascanna i gcúig cinn de na Sé Chontae. Tugadh fogha faoi Bheairic Gough in Ard

15

Macha; pléascadh tarchuireadóir leis an mBBC lámh le
Doire Cholm Cille; dódh teach cúirte i Machaire Fiogaid;
scaoileadh urchar in aice bheairic Chonstáblacht Ríoga
Uladh in Achadh Gé, Contae Fhir Mhanach; cuireadh
beairic na Constáblachta Speisialta san Iúr trí thine;
pléascadh trí dhroichead—Droichead na Bantiarna Brúc
taobh thiar d'Achadh Gé; Droichead Thuama, gar do
Mhachaire Fiogaid; agus droichead ar Inis Mór, Loch
Éirne; tugadh amas ar stáisiún radair ar Cheann Toir,
Contae Aontrama; agus séideadh san aer an tríú cuid de
mhórbheairic nua a tógadh le haghaidh an airm Ghallda
in Inis Ceithleann.

Dhá oíche ina dhiaidh sin arís tugadh ruathar faoi
bheairicí na gConstáblaí i Lios na Scéithe agus i nDoire
Fhlainn i gContae Fhir Mhanach, iar scaoileadh pléisce
sa Ros Liath d'fhonn aire na bpóilíní is na bhfórsaí Gallda
a chur amú. B'imeachtaí iad seo a chuir i gcuimhne dá
lán in Éirinn imeachtaí na mblianta 1920 agus 1921.
Cheana féin ba mhó go mór ná Éirí Amach 1848, nó fiú
Éirí Amach na bhFíníní, comhrac an dá oíche sin. Agus
bheadh a thuilleadh comhraic ann, comhrac agus coimh-
eascar, cuardach agus gabháil, sula dtiocfadh sos.

Ar na colúin a bhí ag gníomhú i gcoinne fhórsaí na
nGall an t-am úd sna Sé Chontae bhí ceann amháin a
raibh ógfhir as gach ceann de cheithre chúige na hÉireann
ina mbaill de. Colún an Phiarsaigh an t-ainm a bhí air.
Ghlac an colún seo páirt san fhogha faoi Bheairic Gough
in Ard Macha, agus ansin chúlaigh siar go dtí Contae Fhir
Mhanach don amas ar an mbeairic i Lios na Scéithe.

Bhí Seán Sabhat ina bhall de Cholún an Phiarsaigh ón
lá ar bunaíodh é, ina Cheannaire Gasra ann. Gach ordú
a thug sé riamh dá chuid fear, i nGaeilge a thug sé é, cé

go mbíodh air, uaireanta, na horduithe a aistriú go Béarla ina dhiaidh sin toisc roinnt de na fir ón Tuaisceart a bheith ar uireasa nó ar bheagán Gaeilge. Agus Gaeilge a labhraíodh sé sna tithe i bhFir Mhanach agus i Muineachán ina nglacadh sé sos. Dhéanadh sé pictiúir do na páistí sna tithe seo; uair amháin, sheinn sé dreas ceoil ar an veidhlín, agus bean an tí ag coimeád comhcheoil leis ar an bpianó. Níor chuala aon duine dá chairde i Luimneach riamh ag seinm é, ná ag amhránaíocht, ach chan sé *Eibhlín a Rún* oíche i dteach eile i Muineachán. Dealraíonn sé gur spreag an t-athas a bhí air a bheith páirteach sa troid chun amhránaíochta is chun ceoil é.

Ní bhfuair Colún an Phiarsaigh mórán suaimhnis go ceann tamaill tar éis an 12ú Nollaig, ach é ag síorthaisteal ó áit go háit, ag troid go minic, agus póilíní agus saighdiúirí d'Arm na Breataine sa tóir air i gcónaí. Chuaigh Seán go dtí Baile Átha Cliath aimsir na Nollag, agus chaith cúpla lá tamall amach ón gcathair. Bhí tabhairt amach éigin ag a chomrádaithe lá de na laethanta seo, agus iarradh ar Sheán dreas ceoil a sheinm dóibh; ach, faoi mar a dúirt sé féin ina dhiaidh sin: ' Bhí mé chomh fada sin ag cur roisín ar an mbogha gur thosaíodar uile ag imirt cártaí ! '

Tar éis na Nollag d'fhill sé ar an Tuaisceart chun leanúint den troid. Ní gan toradh a bhí na blianta caite aige ag cleachtadh, ag máirseáil, ag cruachan a choirp agus ag foghlaim cheird na saighdiúireachta. Anois bhí stóinsitheacht agus sithchruas ann, agus fonn agus faobhar air chun an chatha; agus ba chuma leis contúirt nó cruatan— eisean a bhí ina cholm ar cheansacht ina ghnáthshaol laethúil.

Lá Caille 1957 chinn an Colún ar ruathar a thabhairt an

B

tráthnóna sin faoi bheairic na bpóilíní i mBrookeborough
(Achadh Lon na nGael)[1]: 5.30 p.m. an t-am a ceapadh
chuige. Socraíodh ar an uair luath seo mar go raibh na
póilíní agus na fórsaí míleata cleachta anois ar ionsaithe
go déanach san oíche nó le moiche na maidine. Ceapadh
go dtiocfaí aniar aduaidh orthu ach an fogha a dhéanamh
díreach tar éis thitim na hoíche. Aontachtaithe ar fad,
nach mór, a bhí ina gcónaí i mBrookeborough: ó ainm
Gallda an bhaile a thóg Príomh-Aire na Sé Chontae a
theideal—Lord Brookeborough: agus bhí teach cónaithe
agus eastát aige trí mhíle amach ón mbaile i gColebrook.

B'é an plean teacht isteach go dtí an baile i leoraí a
ghabhfaí, mianach a chur le ballaí na beairice faoi scáth
piléar ó mheaisínghunna an díorma dídine, iachall a chur
ar an ngarastún géilleadh, agus an t-áras a scrios. Ach
cuireadh moill ar an gColún, agus bhíodar breis mhaith
agus uair a chloig i ndiaidh láimhe nuair a thosaíodar
amach chun dul in oirchill na bpóilíní.

Níor shroicheadar Brookeborough go dtí 7 p.m. Bhí
14 fear—iomlán an Cholúin—i láthair. Chonaiceadar an
bheairic ar dheis uathu, foirgneamh ar dhéanamh na
litre L. Leanadar ar aghaidh 20 slat eile. Stopadar.
Chuaigh gach fear láithreach i mbun an ghnótha a leagadh
amach dó. Shocraigh Seán Sabhat a Bhrenghunna ar
urlár an leoraí is dhírigh an soc ar an mbeairic. Bhailigh
roinnt dá chomrádaithe timpeall air, a ngunnaí ullamh
acu seo, leis, chun cosaint a dhéanamh ar na fir a chuir-
feadh an mianach ar leaba. Chuir Óglach a raibh raidhfil
aige iachall ar na daoine a bhí feadh na sráide bailiú leo

Ar an gcuntas i *They Kept Faith*, a d'fhoilsigh ' Roinn Eolais na Poblachta '
i 1957, atá an chuid is mó den chur síos ar an troid i mBrookeborough atá sa
leabhar seo bunaithe.

abhaile. I rith an ama seo bhí Seán ag feitheamh leis an
gcomhartha. Faoi dheireadh fógraíodh air, agus thosaigh
sé ag scaoileadh leis an mbeairic. Bhí an cath ar siúl.

Siúd de sciuird an díorma amais faoi dhéin na beairice,
greim acu ar an mianach. Osclaíodh an doras, agus dhein
póilín iarracht ar iad a stop, ach cuireadh ar a mhalairt
d'aigne é le sruth piléar a réab thairis. Leag an bheirt an
mianach le hais bhalla na beairice, agus d'fhill slán. Bhí
gach rud réidh ansin don phléasc. Ach níor tharla dada.
Rith tuilleadh fear ar aghaidh agus leag an dara mianach
taobh leis an gcéad cheann; cuimlíodh na sreanga aibhléise
dá chéile. Arís níor tharla dada. Ceaptar gurbh amhlaidh
bhí an t-ábhar pléascach tais. Scaoileadh urchair leis
féachaint an bpléascfadh sin é, ach b'obair in aisce é.
Faoi seo bhí cith piléar ag teacht ó mheaisínghunna i
bhfuinneog ar dhara hurlár na beairice. D'aimsigh an
cith piléar sin an leoraí. Níor dhúirt Seán Sabhat aon
fhocal nuair a buaileadh é, ach scaoil a ghreim dá ghunna
agus thit ar urlár an leoraí ag saothrú an bháis. Goineadh
comrádaí a bhí taobh leis ag an am céanna.

Ba ghearr gur thuig fear ceannais na n-amasaitheoirí go
raibh an cluiche caillte, agus chonacthas ar an tsráid é ag
ordú dá chuid fear cúlú. Nóiméad ina dhiaidh sin bhain
piléar dá bhoinn é. An díorma amais a bhí ag ionsaí na
beairice le gránáidí agus gunnaí, chúlaíodar anois, agus
rith i dtreo an leoraí. Leagadh duine acu. Feargal beag
ó hAnnluain a bhí ann. Thug a chomrádaithe leo é isteach
sa leoraí, áit a bhfuaireadar Seán Sabhat ina luí ina chosair
chró.

Cuireadh an leoraí faoi shlí, agus thug fir an Cholúin
an bóthar orthu, amach as an ármhach mar ar goineadh
seisear díobh, beirt acu go marfach. Tháinig na póilíní

amach ar an tsráid ag scaoileadh ina ndiaidh: réab na piléir
tríd an leoraí agus pholl dhá roth. Agus lucht an leoraí ag
tarraingt ar chrosaire chonaiceadar chucu gluaisteán
patróil leis an gConstáblacht Ríoga. Chasadar ar dheis,
ach ní túisce bhí sin déanta acu ná fuaireadar amach go
rabhdar ar an mbóthar mícheart. Stopadar. Stop an
patról leis—ní raibh sé ach timpeall céad slat uathu faoi
seo—agus scaoil na póilíní leo. Chúlaigh an leoraí go dtí
an crosaire agus chas isteach ar an mbóthar ceart, ach níor
dhein na póilíní sa ghluaisteán aon iarracht ar iad a lean-
úint. De dheasca an damáiste a deineadh dó níor fhéad
an leoraí níos mó ná 15 míle san uair a dhéanamh.
Thángadar go crosaire eile, áit a bhfacadar teach feirme.
Stopadar, agus chuaigh duine acu go dtí an doras agus
bhuail cnag. Ní raibh aon duine istigh. Bhí Seán Sabhat
agus Feargal ó hAnnluain iad araon gan aithne gan
urlabhra um an dtaca seo; ní raibh an dara rogha acu ach
iad a fhágáil, agus féachaint le duine a fháil a d'fhóirfeadh
orthu, an leoraí a thréigean, agus a slí féin a dhéanamh
trasna na sléibhte ón tóir.

Thugadar faoi deara go raibh solas i gcró taobh thiar
den teach, agus d'iompair siad an bheirt ann, agus leag
ar an talamh iad. Chuaigh fear ar a ghlúine agus dúirt
Gníomh Croíbhrú os íseal i gcluais Sheáin. D'fhágadar
ansin iad, agus thug aghaidh ar theach feirme eile cúpla
céad slat uathu, agus d'iarr ar mhuintir an tí sin fios a chur
ar shagart agus ar dhochtúir. Chonaiceadar solas ó roinnt
gluaisteán ag déanamh ar an gcrosaire; chualadar lámh-
hach—na póilíní ag scaoileadh leis an leoraí tréigthe.
Ciúnas; ansin lámhach arís. De réir fhianaise na bpóilíní,
bhí Seán Sabhat marbh nuair a shroicheadar siúd an cró,
agus is ar éigean a bhí an dé i bhFeargal ó hAnnluain.

Ach bhí amhras ar a gcomrádaithe faoin scéal sin. Dúradar níos déanaí go raibh eagla orthu gur tugadh ainíde ar an mbeirt sa chró. Dúradar nach raibh aon chréacht ar Sheán nuair a d'fhágadarsan é ach amháin créachtaí na bpiléar ar a chorp, ach go raibh léasacha brúite ar a chloigeann nuair a bhí fiosrú ar siúl ag giúiré an chróinéara.

Sa nuacht deireanach ó Raidió Éireann oíche Lae Caille dúradh gur maraíodh beirt fhear i mBrookeborough cúpla uair a chloig roimhe sin. Níor tugadh ainmneacha na beirte. Go luath arna mhárach leath an ráfla i gcathair Luimní gur ón gcathair duine den bheirt; agus ar a dó a chlog nó mar sin san iarnóin baineadh mígheit as na daoine nuair a chualadar gurbh é Seán Sabhat é.

Is ar éigean a d'fhéadfaidís an scéal a chreidiúint, go mór mór iad siúd go léir nach raibh tuairim dá laghad acu go raibh aon bhaint aige leis an bhfeachtas míleata a bhí ar siúl sna Sé Chontae. Ní fhéadfaidís duine chomh ciúin, chomh cúthail, chomh caoinbhéasach sin a shamhlú ag tabhairt aghaidh chomhraic ar aon duine, nó ag fáil bás bíge i lár na caismirte. Ba léir anois dóibh nár thuigeadar riamh an dáiríreacht uafásach a bhí i ndílseacht Sheáin don Ghaeilge agus d'Éirinn.

Is go dtí Ospidéal an Chontae in Inis Ceithleann a tugadh na coirp le haghaidh fhiosrú an chróinéara. Nuair a bhí sé sin thart cuireadh i dhá chónra iad, agus ardaíodh na cónraí amach go dtí an dá chróchar a bhí ag feitheamh leo. Ansin ghluais na cróchair go mall réidh amach as clós an ospidéil, mar a raibh saighdiúirí Gallda ar garda gona gcuid beaignití agus meaisínghunnaí anseo i bhFir Mhanach Shíol Uidhir. Ar thosach na sochraide bhí trucail de chuid an airm Ghallda; agus ar a deireadh bhí gaolta na marbh, agus tuairim is leathchéad duine ó Inis

Ceithleann a shiúil leo go dtí imeall an bhaile.

Thug na cróchair aghaidh soir ar an Teorainn; an Teorainn sin de dhéantús na Breataine a chríochdheighil Éire sular rugadh Feargal ó hAnnluain ná Seán Sabhat; an Teorainn sin ba chionsiocair lena mbás i mbláth a n-óige is a maitheasa. Ghluais na cróchair thar an Teorainn soir, gur ráinig siad baile mór Mhuineacháin agus Ardeaglais mhac Carthann Naofa, mar a luífeadh na coirp an oíche sin.

An lá dar gcionn, an Aoine an 4ú Eanáir, tar éis Aifreann na Marbh d'anamacha na beirte, bhí Feargal ó hAnnluain le dul sa chré i Muineachán. Macalla aniar as stair na hÉireann a bhí in ainm agus sloinne an ógfhir sin, ceangal siar go dtí ' Cogadh Gael re Gaill ' Chúige Uladh. Fear den ainm Feargal ó hAnnluain a fháil bháis i gcath le Gallaibh in Uladh sa fichiú céad ba chosúil é le haistriú tobann siar go dtí Uladh an séú nó an seachtú céad déag.

Bhí samhlaoid san ainm agus sloinne sin, faoi mar a bhí samhlaoid san eachtra a d'inis duine de na póilíní ag an bhfiosrú in Inis Ceithleann. Bhí sé ag tabhairt fianaise faoi conas mar a tháinig sé féin agus na póilíní eile ar an mbeirt sa chró. Ar dtús, dúirt sé, chuaigh sé suas go dtí doras an teach cónaithe agus chonaic sé ar an doras rian láimhe; lámh fhuilteach a leagadh ar an doras nuair a cnagadh air—lámh dhearg.

Ghluais sochraid Sheáin Sabhat ar aghaidh. Nuair a shroich sí Dún Dealgan d'fhág 1,500 oibrí a gcuid monarchana agus shiúil trí choiscéim na trócaire léi; agus i nDroichead Átha bhí na céadta a thug an t-ómós céanna don fhear marbh. Bhí sé ag déanamh amach ar am lóin nuair a ráinig an tsochraid Baile Átha Cliath, agus sheas na sluaite ar na cosáin agus nocht a gceann le hurraim

nuair a ghabh sí thar bráid, go bhfacadar an chónra,
faoi Bhratach na dTrí Dhath agus í clúdaithe le bláth-
fhleasca.

Stop an cróchar i gCearnóg Pharnell, mar a ndeachaigh
ochtar ógfhear ar garda onóra uime, agus mar ar thriall
na mílte in imeacht an dá uair a chloig a d'fhan an cróchar
ann. Bhí an Brat Náisiúnta ar leathchrann ó roinnt tithe;
bhí dallóga tarraingthe anuas ar roinnt eile; bhí na comh-
laí dúnta ar na fuinneoga in Ardoifig Chonradh na
Gaeilge. Tháinig triúr sagart agus thug amach deichniúr
den Choróin Mhuire as Gaeilge; agus go luath ina dhiaidh
sin ghluais an tsochraid ar aghaidh arís, síos Sráid uí
Chonaill, thar Ardoifig an Phoist; na céadta fear ag
máirseáil taobh thiar den chróchar; na mílte faoi thost,
brúite le chéile ar na cosáin ag faire orthu.

Ag Inse Caor sheas an lucht máirseála agus an garda
onóra i leataobh, agus lean an tsochraid dá cúrsa siar ó
dheas ar an leabharbhóthar go Luimneach; trí bhailte
móra agus bhailte beaga mar a raibh na sluaite ina seasamh
le fada faoi fhearthainn throm chun beannú don ógfhear
a leagadh i gcomhrac ainmhín sna Sé Chontae. Ag feith-
eamh léi i bPort Laoise bhí garda onóra de Shean-Óglaigh
na hÉireann, agus cúig chéad duine, maraon le mórchuid
gluaisteán. Stad an tsochraid fad a bhí deichniúr den
Choróin Mhuire á thabhairt amach i nGaeilge. Bhí
seacht míle ag feitheamh i Ros Cré; agus in Aonach
Urmhumhan, mar a raibh tuairim is míle duine cruinn-
ithe, dhein Buíon Cheoil Sheáin uí Threasaigh an cróchar
a thionlacan tríd an mbaile.

Faoi dheireadh, ar 10.30 san oíche, shroich an tsochraid
cathair Luimní. Le dhá uair a chloig roimhe sin bhí breis
agus 20,000 duine ag feitheamh go foighneach ar imeall

na cathrach, faoi chlagarnach báistí, ag feitheamh, mar a dúirt *Rosc* na Feabhra 1957, ' chun Seán Sabhat a fháscadh lena gcroí.' Bhí comrádaithe Sheáin ann, agus na céadta de Shean-Óglaigh na hÉireann agus de Shean-Fhianna Éireann, chomh maith le hionadaithe as gach eagraíocht náisiúnta sa chathair. Bhí Méara Luimní, Seoirse E. Ruiséil, seanchara le Seán, ann. Ní fhacthas riamh roimhe sin i Luimneach aon taispeántas poiblí bróin agus bá a bhí inchurtha leis an taispeántas seo. Tugadh an corp go dtí Séipéal Mhíchíl Naofa; dúradh an Choróin Mhuire, agus chuaigh ceathrar ógfhear mar gharda onóra os cionn na cónra.

Lá arna mhárach, an Satharn an 5ú Eanáir, nuair a léadh Aifreann Sollúnta na Marbh ar 10.30 a.m. bhí an séipéal lán go doras. Agus i rith an lae, nó go dtáinig am na sochraide, bhí na mílte ag gabháil thar bráid na cónra, agus í clúdaithe leis na céadta cártaí Aifrinn. Agus leagtha ar urlár an tséipéil bhí mórchuid bláthfhleasc, ar a raibh cuid ó Cholún an Phiarsaigh agus óna lán dreamanna eile—Dáil na Mumhan de Chonradh na Gaeilge; *Rosc;* Sean-Óglaigh na hÉireann; Fianna Éireann 1916-23; Cumann na mBan; Óglaigh Náisiúnta na hÉireann; an 49ú Cathlán den Fhórsa Cosanta Áitiúil; Stiúrthóirí Mhuintir mhic Mhathúna; Foireann Mhuintir mhic Mhathúna; Fir na mBus is an Gharáiste, CIÉ; agus go leor eile.

Ar éigean má bhí foireann mhonarchan ná oifige ná siopa i Luimneach nach dtáinig cárta Aifrinn uathu, agus iad go léir scríofa i nGaeilge; i rith na hAoine, agus arís maidin Dé Sathairn, bhí glaonna á gcur ó mhonarchana is ó oifigí is ó shiopaí go dtí Gaeilgeoirí anseo is ansiúd ar fud na cathrach, á fhiafraí díobh conas a litreofaí

11893

' Sabhat,' nó cén Ghaeilge a bheadh ar ' Directors,' nó
' Staff,' nó ' Novena.' Comhlacht amháin dhíoladar
amach gach cárta Aifrinn Gaeilge dá raibh acu agus bhí
orthu a thuilleadh a chur á gclóbhualadh iarnóin na
hAoine chun freastal ar an éileamh. Riamh níor chuir
an méid sin daoine in aon chathair in Éirinn an méid sin
dua orthu féin chun an Ghaeilge a úsáid is a chuir muintir
Luimní orthu féin an dá lá sin—an lá a raibh Seán Sabhat
á bhreith abhaile ón Tuaisceart, agus amárach agus é á
chur i Reilig San Labhrás. Sin mar a thaispeáin muintir
Luimní an meas a bhí acu ar an ógfhear a d'imigh uathu
gan fhios ceithre sheachtain roimhe sin, agus a raibh a
ainm i mbéal an phobail Éireannaigh ar theacht ar ais dó.
    Thaispeáin Sean-Óglaigh na hÉireann a meas siúd air
trí chead a thabhairt é a adhlacadh i bPlásóg na bPoblacht-
ach i Reilig San Labhrás, mar a luífeadh sé le Seán de Bhál
agus Mícheál ó Ceallacháin, le Seoirse mac Fhlannchadha
agus Seosamh ó Donnchadha agus na mairbh eile a
cuireadh sa phlásóg sin tar éis dóibh a n-anamacha a
thabhairt ar son na hÉireann. Formhór na Sean-Óglach
ní bheidís ar aonintinn le Seán agus a chomrádaithe faoi
gan aitheantas a thabhairt do Bhunreacht agus Rialtas na
Sé Chontae Fichead. Thug formhór na Sean-Óglach an
t-aitheantas sin, faoi mar a thug muintir na hIar-Ghear-
máine aitheantas do Rialtas Cónascach na Poblachta Iar-
Ghearmánaí. Ach ghoill críochdheighilt a dtíre go mór
orthu. Agus bhí bá dá réir acu leis na fir óga sin a chuaigh ó
thuaidh trasna na Teorann chun cath a chur ar na fórsaí
Gallda a raibh greim fós acu ar shé chontae de shean-
Chúige na Réabhlóide.
    Ar a ceathair a chlog a bhí an corp le breith chun na
huaighe, ach i bhfad roimhe sin bhí an chathair plódaithe

le daoine a tháinig, ní amháin ó chathair agus ó chontae Luimní, ach ón gClár, ó Thiobraid Árann, ó Chiarraí, Chorcaigh, Ghaillimh, Bhaile Átha Cliath, agus óna lán áiteanna eile in Éirinn chomh maith. Bhí an Brat Náisiúnta ar leathchrann ar roinnt mhaith tithe, agus nuair a bhí sé ag druidim lena ceathair a chlog tosaíodh ar na dallóga a tharraingt agus ar na siopaí a dhúnadh. Thit brat ciúnais anuas ar an gcathair, ar an 50,000 duine agus breis a bhí ina seasamh ar dhá thaobh na sráideanna idir an séipéal agus an reilig.

Ansin chualathas fuaim thomhaiste lucht máirseála: bhí an tsochraid ag teacht—crochar faoina cheithre chapall; cónra agus Bratach na dTrí Dhath leagtha uirthi; bláthfhleasca a bhí chomh geal sin faoi chlapsholas tráthnóna Eanáir; fiche sagart; agus ina ndiaidh aniar na mílte de lucht máirseála. Ar an lucht máirseála sin bhí daoine a raibh aithne acu ar Sheán, agus daoine nár leag súil riamh air dá bhfios; daoine a bhí ar scoil leis, a bhí sna Gasóga leis, a bhí i gComhbhráithreas an Teaghlaigh Naofa leis; daoine a bhí leis i gCairde na Gaeilge, nó i Seadairí na Saoirse, nó i nGiollaí na Saoirse, nó i gConradh na Gaeilge, nó sa Réalt; daoine a bhí mar chomrádaithe aige san Fhórsa Cosanta Áitiúil; agus cuid a throid gualainn ar ghualainn leis go luath roimhe sin sna Sé Chontae.

Agus ina measc siúd ná faca riamh é, ach a bhí ag máirseáil go buacach sa tsochraid seo inniu, bhí na céadta fear a thug amas, iad féin, ar bheairicí póilíní, 35 nó 36 de bhlianta roimhe sin, nuair a bhíodar óg díograiseach, agus a ndúshlán tugtha acu faoi Ghallaibh. Fir a chonaic Liam ó Scolaí agus Seán ó Treasaigh ag dul sa chré an chuid is mó de dhá scór bliain roimhe sin, chonaiceadar

Seán Sabhat á leanúint anois; agus shileadar deoir in umar diamhair an anama ar son Sheáin, agus ar son na marbh go léir a fuair bás ar son na hÉireann.

Labhair Diarmaid ó Donnchadha ag béal na huagha agus dúirt:

A Ghaela, iarradh ormsa labhairt inniu ag moladh mo charad is mo chomrádaí uasail, Seán Sabhat a fuair bás i ngleic le Gallaibh.

Ní gá dom a chur in iúl daoibhse atá cruinnithe anseo cad ina thaobh a bhfuair sé bás. Tá a fhios agaibhse cad ina thaobh; tá a fhios ag na sluaite a bhí i mBaile Átha Cliath, agus ag na sluaite gan áireamh a bhí ar na bóithre ón uair a d'fhág sé seilbh Gall go dtí go dtáinig sé abhaile go Luimneach.

B'ábhar bróin domsa agus dúinn go léir a bhás, ach b'ábhar misnigh agus mórtais dúinn a ghníomhartha agus an t-ómós a thuill sé. Is mór an t-ábhar dóchais agus misnigh dúinn an íobairt a dhein sé ar altóir mhór na saoirse.

Ba mhór aige prionsabail, ba mhór aige saoirse, ba mhór aige Gaelachas. D'éag sé ar son saoirse, ar mo shonsa agus ar bhur sonsa, agus ar son na nglún atá le teacht. Ní amháin gur lean sé lorg Mhic Phiarais agus Emmet agus Tone, ach dhein sé staidéar ar dhúchas agus stair Gael ó thosach ré na staire—agus dhein sé beart dá réir. Chuir sé amach dhá eagrán de *Ghath*, agus in alt a bhí san eagrán deiridh scríobh sé *Jacta alea est*, nó más fearr leat an Ghaeilge, 'Tá deireadh le raiméis ! Tá ré na cainte thart !' Bhí deireadh le caint agus le raiméis fad a bhain siad le Seán.

Ach an fíor go bhfuil deireadh le raiméis ? Níor mhian liomsa aon duine a fheiceáil anseo inniu ach an duine atá sásta lorg Sheáin a leanúint. Bíodh a bheatha agus a bhás ina dteagasc agus ina dtreoir dúinn. Is minic a chualathas le tríocha bliain anuas ráiteas úd an Phiarsaigh: ' Éire Gaelach, Éire Saor.' Tá a fhios ag an saol cad a dhein Seán ar son saoirse. Tá a fhios againne a raibh aithne againn air cad a dhein sé ar son na Gaeilge. Ní labhródh sé riamh aon fhocal Béarla. Bíodh sin ina threoir againne.

Ní thabharfar masla dá anam uasal trí Bhéarla ar bith a labhairt anseo inniu.

Nuair a bhí an óráid thart thug Brian mac Lughadha amach an Choróin Mhuire, agus ina dhiaidh sin seinneadh an Ghairm Dheiridh ar an mbuabhall. Nuair a bhí an slua imithe, scaoileadh urchar os cionn na huagha, an chúirtéis dheireanach don saighdiúir marbh.

Fágadh ansin é, i bPlásóg na bPoblachtach, i gcuideachta Sheáin de Bhál agus Mhíchíl uí Cheallacháin agus Sheoirse mhic Fhlannchadha agus na bhfear eile de chlann Luimní a fuair bás ar son na hÉireann, agus a adhlacadh anseo sular rugadh é. Minic a bhí brón air nach raibh sé ar an saol agus i measc na ndaoine seo an uair a bhíodar ag cur cath ar Ghallaibh. Bhí sé leo anois.

II

AN 8ú FEABHRA 1928 a rugadh Seán Sabhat, in uimhir 47
Sráid Anraí i gcathair Luimní. Seán ab ainm dá athair,
leis, agus phós sé siúd Máire ní Dhonnabháin sa bhliain
1918. B'as Luimneach don bheirt. Ba shin é an dara
pósadh ag a athair. Nuair a bhí sé ag dul ar mhí na meala
an chéad uair buaileadh breoite an bhrídeog, agus b'éigean
í a chur isteach san ospidéal, áit ar cailleadh í tar éis sé mhí.
Triúr clainne a bhí aige le Máire ní Dhonnabháin:
Séamas; Seán, sé bliana níos óige ná Séamas; agus Gearóid,
a bhí breis agus trí bliana níos óige ná Seán. Sé mhí tar
éis bhás a athar a rugadh Gearóid.

Ceannaí a bhí san athair, fear ciúin nach gcuireadh
corraí an tsaoil as dó puinn. An tráthnóna a maraíodh
beirt Dúchrónach trasna na sráide óna theach agus go
raibh muintir Shráid Anraí uile faoi scanradh ag déanamh
réidh chun a dtithe a fhágáil, chuaigh Máire in airde
staighre go dtí Seán agus í buartha go mór. Bhí seisean
ag léamh, agus níor chuir an méid a tharla as dó chor ar
bith, de réir cosúlachta ; ní raibh aon rún aige imeacht
ón teach, agus lean sé air ag léamh. D'imigh an bhean
abhaile go dtí a muintir féin i Sráid an Chaisleáin agus
timpeall meán oíche chonaic sí Seán chucu, ag trasnú an
droichid, siúl mall tomhaiste faoi, is gan buairt ar bith air.
Is ar éigean a bheadh aon chuimhne ag Seán Óg ar a
athair, mar nach raibh sé ach isteach is amach le trí bliana
d'aois nuair a cailleadh é.

33

Trí bliana go leith a bhí Seán nuair a thosaigh sé ag freastal ar Scoil Naomh Uinseann de Pól i Sráid Anraí. D'fhan sé sa scoil sin go dtí go raibh a Chéad Chomaoin-each glactha aige. Sula raibh seacht mbliana slánaithe aige d'aistrigh sé go Scoil na mBráithre i Sráid Seasnáin, mar ar fhan sé go raibh an Ardteistiméireacht déanta aige. Buachaill an-aerach ab ea é agus é ag dul ar scoil. Tá cuimhne ag a chomhdhaltaí agus ag a mhúinteoirí air mar bhuachaill láidir rua a ghlacfadh páirt i ngach saghas cluiche agus spóirt, agus nach n-obfadh babhta dornála dá dtabharfaí a dhúshlán faoi. Nuair a bhí sé sa bhunscoil ag na Bráithre bhí cluiche amháin a thaithníodh go mór leis—bheith ina ' Rí ar an gCaisleán ' ar na céimeanna sa chlós fada ar chúl na scoile. Bhí an neart agus an mis-neach ann a d'fhág ina cheannasaí é ar a chomrádaithe scoile.

Bhí cipe nó dream de bhuachaillí scoile i Sráid Anraí agus iad eagraithe chun cogadh a fhearadh ar chipí ó shráideanna eile. Ball díocasach de chipe Shráid Anraí ab ea Seán, agus bhíodh sé beagnach i gcónaí páirteach sna hionsaithe a thugaidís isteach i gceantair eile den chathair. Toisc a láidre a bhí sé, níor theip riamh air scanradh agus briseadh a chur ar an namhaid. Lá dá raibh sé ar iarraidh ón gcath thug beirt churadh fhíorchrua as cipe eile leadradh uafásach do bhuachaillí Shráid Anraí, agus bhí an t-arm cloíte ag teitheadh rompu nuair a tháinig Seán ar an láthair. Níor dhein sé nóiméad moille, ach thug faoin mbeirt ba chionsiocair leis an mbrisleach, rug orthu agus thug an léasadh is mó dá bhfuaireadar go dtí sin dóibh.

Na blianta tosaigh a chaith sé sa mheánscoil ba é an buachaill fiáin aerach céanna é, gan maolú dá laghad ar

an dúil a bhí aige i gcleasaíocht. Sa ghnáth-rírá a thar-
laíonn idir dhá rang, nuair a bhíonn múinteoir amháin
imithe as an seomra agus an dara duine gan teacht fós,
bheadh guth Sheáin le clos i gcónaí, é istigh i lár na
scléipe, ag léim is ag caitheamh rudaí timpeall. Bhí
Bráthair amháin a deireadh, nuair a thagadh sé isteach go
tobann agus go bhfeicfeadh sé Seán i mbun cleasaíochta:
' Sea, chaithfeása, tusa ! '

D'éalaigh Seán abhaile faoi dhó ón scoil. An dara
huair, nuair a thug Séamas, a bhí mar athair aige, ar ais
chun na scoile é, dúirt an Bráthair a casadh orthu nach
nglacfadh sé ar ais é ach ar dhá choinníoll: nach n-imeodh
sé arís, agus go ngabhfadh sé pardún leis na buachaillí
eile sa rang as an drochshampla a thug sé dóibh. Dhein
sé é sin go fonnmhar.

Uair amháin leoin col ceathrar leis é féin, agus d'ordaigh
an dochtúir dó fanacht sa leaba ar feadh seachtaine, agus
gan aon rud ach arán agus uisce a chaitheamh. Bhí sé
cúpla bliain níos óige ná Seán—bheadh deich mbliana
nó mar sin aige an uair sin—agus tháinig Seán á fhéach-
aint. Ghearáin sé le Seán go raibh sé ag fáil bháis leis an
ocras. D'éist Seán leis an scéal truamhéileach: ansin
shleamhnaigh amach agus cheannaigh punt brioscaí, agus
thug don othar iad. Is é a bhí buíoch de Sheán—go dtí an
oíche, nuair a bhí sé ag béiceadh leis an bpian !

Má ba bhuachaill a ghráigh an spórt agus an scléip é Seán,
buachaill éirimiúil a bhí ann leis. Bhí sé go maith ag gach
ábhar scoile, ach gan a bheith go sármhaith ag aon cheann
acu, ach amháin an líníocht. Bhí an-suim aige sa líníocht,
agus bhíodh a chuid cóipleabhar lán de phictiúir a
tharraingíodh sé—pictiúir de bhuachaillí bó agus Rua-
Indiaigh mórán díobh. I scrúdú na hArdteistiméireachta

sa bhliain 1945 ghnóthaigh sé pas maith. Is suimiúil an
rud é nach bhfuair sé marc ró-ard sa Ghaeilge sa scrúdú
sin. Ar feadh an chuid is mó dá chúrsa ní raibh aon suim
ar leith aige sa teanga, ach oiread is a bhíonn ag an ngnáth-
dhalta scoile nár dhein aon mhachnamh fós ar cad is
náisiúntacht ann. Bhí sé ina chomhalta, áfach, den Fhórsa
Cosanta Áitiúil—nó an LDF, mar a thugtaí air le linn an
Chogaidh Dhomhanda—ón 20ú Bealtaine, 1943; agus
bhí sé ina bhall, leis, de na Gasóga Caitliceacha.

Sna blianta deireanacha a chaith sé ar scoil thosaigh sé
ag cur an-spéis in áilleacht an dúlra, agus ba bhreá leis
caoi a fháil tráthnóna nó deireadh seachtaine chun bualadh
amach faoin tuath, i bhfad ó ghleo agus ghleithearán
agus smúid na cathrach; agus riamh níor chuir donacht
aimsire ná airde cnoic ná fad bóthair as dó, ach é ag sárú gach
bac agus mosán le neart agus sláinte agus díograis na hóige.
Bhí spéis aige, leis, i mbádóireacht, agus tráth dá ndeach-
aigh sé féin agus cara leis ar thuras lae síos béal na Sionainne
neartaigh an ghaoth agus b'éigean dóibh an deireadh
seachtaine a chaitheamh amuigh. D'éirigh leo Aifreann
an Domhnaigh a fháil sa Chreatlach, agus an pobal ag
baint lán na súl as an mbeirt a raibh cuma challshaoth na
mara orthu.

Buachaill maith macánta a bhí ann i gcónaí ar scoil,
agus bhí carachtar gan cháim aige. Sular fhág sé an scoil
tugadh faoi deara go raibh sé ag athrú mórán; go raibh
sé ag éirí machnamhach, smaointeach ann féin; go raibh
fiántas spleodrach na hóige á thréigean go tiubh aige, agus
go raibh ciúnas agus caoineas ag teacht ina n-áit. Buach-
aillí a bhí ar scoil leis bhraitheadar um an dtaca sin go
raibh doimhneas neamhchoitianta anama ann. Bhí a
lán dá lucht aitheantais a shíl an uair sin gur le sagartóir-

eacht nó le saighdiúireacht a rachadh sé.[1] Ach cé go
dtáinig an t-athrú seo ann níor chaill sé riamh an fhéith
láidir ghrinn, agus is cuimhin le gach duine a raibh aithne
aige air an miongháire mealltach sin a bhí aige go deireadh.
As seo amach agus é ar scoil ní bhíodh an caidreamh
céanna aige lena chomhdhaltaí is a bhíodh go dtí sin:
b'fhearr leis anois a smaointe féin mar chompánaigh aige.
Ach théadh sé go rialta go dtí páirc na himeartha leis na
buachaillí, cé nach nglacadh sé páirt sna cluichí níos mó.

Feasta, ní neart coirp a bheadh le sonrú ann ach neart
tola a bhí tréan dochloíte. D'fhág sé Scoil na mBráithre
i 1945, in aois a sheacht mbliana déag dó. Buachaill ard
fionnrua córach a bhí ann faoi sin.

---

[1] Dúirt an sagart a mbíodh Seán ag plé a choinsiasa leis sna blianta deirean-
acha leis an údar:

Ní bhfuair Seán aon naomhghairm riamh. Go deimhin níor ghá é sin a
insint dóibh siúd a raibh aithne acu air. Scarfadh sé ar ndóigh le haon
rud níos túisce ná a bheadh eiteach aige i bpointe chomh tábhachtach.

III

Mí Lúnasa 1945 fuair Seán post mar chléireach meastacháin i roinn na sonraí in oifig Mhuintir mhic Mathúna, Allmhaireoirí Adhmaid, i Sráid Alfonsus, Luimneach. Oibrí maith coinsiasach ab ea é, a raibh suim aige i gcúrsaí an ghnólachta, agus a d'fhág a rian go luath ar an oifig.

Aon rud a thug sé faoi chuir sé a chroí ann. Bhí sé ina chomhalta den Fhórsa Cosanta Áitiúil le dhá bhliain faoi seo. An 1ú Aibreán 1946 ceapadh ina cheannaire é sa 49ú Cathlán den Fhórsa, agus ar an 21ú Meitheamh sa bhliain chéanna ardaíodh ina sháirsint é. Dhein sé cúrsa oiliúna i mí Lúnasa in Eochaill, agus ghlac sé páirt i gceann de na comórtais dornála a bhí ar siúl le linn an chúrsa—bhí an-suim aige sa dornáil, agus bhí sé in ann úsáid mhaith a bhaint as a dhoirne féin. Ní foláir nó bhí sé ina bhall díograiseach den FCÁ, faoi mar is léir ó na harduithe céime a fuair sé, na cúrsaí oiliúna a dhéanadh sé—agus ó na línte seo a cheap sé sa bhliain sin 1946:

RECRUITING SONG FOR THE FCA

Join up now boys, join the FCA,
Do not waste another day,
Make up your mind without delay,
Do not wait for another day.
It does not matter if you are small,
If you are thin or stout or tall,

Ye all should hearken to the call,
  So come to-night to the FCA hall.
The minimum size is five-foot-three
  Because less than that is hard to see,
There is no weight that you have to be,
  So with regards to your figure you are free.
You may argue that you have not time—
  Two hours a fortnight, you can't find time ?
Think of Pearse, what he gave of time
  So that Ireland might be yours and mine.
So again I say : Please come up and join,
  The FCA will be yours and mine.
Come up boys, lend a hand,
  You have your chance to serve your land.

Bhí eagraíocht eile seachas an FCÁ a raibh an-spéis aige
inti ó bhí sé ar scoil—na Gasóga Caitliceacha. Le tamall
de bhlianta bhí sé ina bhall den Deichiú Buíon i bParóiste
Iósaif Naofa i Luimneach, agus sa bhliain 1946 ceapadh
ina Cheannaire Cúnta Gasóg é, agus cuireadh i bhfeighil
an Cúigiú Buíon, a hathbhunaíodh an bhliain sin, é.
Bhí a dheartháir, Gearóid, ina Cheannaire Patróil sa
bhuíon chéanna.

Na harduithe céime a fuair sé san FCÁ agus sna Gasóga
sa bhliain sin 1946 taispeánann siad gur léir faoi seo,
dóibh siúd a raibh teagmháil acu leis, go raibh mianach
ceart an treoraí i Seán.

Timpeall an ama seo chuir sé i dtoll a chéile leabhrán
clóscríofa ar chúrsaí na hoifige ina raibh sé ag obair.
Leabhrán grinn a bhí ann, agus *Sighings and Sayings of
the Old Reliable* mar theideal air: bhí nóta ina bhrollach a
dúirt gur cuireadh in eagar ag *Mac Cliste* é. Braitheann
a lán den ghreann atá sa leabhrán seo ar iomraill litrithe.
Féach an Réamhfhocal:

Addvoice to wood bee Prossecqueueturz

As thare iz no personz naym menshunned throoout thiss volyumm, anned az know person orr (Remember Hymn !) personz haz orr hav beene slawndurred heerinn, our Sowlissitur—Misstur Leetch—informs uss that itt will be *saothar in aisce*, that is, unproffitabell and unnavayling, forr any person orr personz to soo the publishurz forr liebell orr slawndurr.

Feictear sa sliocht seo agus roinnt áiteanna eile sa leabhrán go raibh claonadh ag Seán um an dtaca seo corrfhocal Gaeilge a thabhairt isteach sa mhéid a bhíodh á scríobh aige; feictear, leis, go raibh eolas aige ar gháir chatha na nUltach a throid ar son saoirse i 1798—*Remember Orr !*; agus is léir ó thagairt amháin sa leabhrán go raibh scríbhinní an Phiarsaigh agus an Mhistéalaigh léite aige. Níor thaispeáin sé go dtí seo go raibh aon róspéis aige sa Ghaeilge, ach níl aon amhras ná gur cuireadh síol na náisiúntachta is an tírghrá ann, gan fhios dó féin, b'fhéidir, nuair a bhí sé ar scoil ag na Bráithre Críostaí agus, fós, sna Gasóga. D'ainneoin go raibh féith an ghrinn go láidir ann, caithfear a thuiscint gur bhuachaill ciúin cúthail é ag an am seo, gur smaointeoir domhain é, agus go raibh an-dúil sa léitheoireacht aige. Bhí sé ag léamh anois faoi Éirinn agus faoi stair agus chultúr na hÉireann, agus bhí sé ag tosú ar an dianmhachnamh sin ar chúrsaí an náisiúin as a ghinfí a ghrá buan daingean don Ghaeilge agus don Ghaelachas. Bhí an chéad chéim tugtha aige ar an ród a bhí roimhe.

Ní fada gur fhág Seán rian a mhachnaimh ar an mBuíon Gasóg a bhí faoina chúram. Sa tuairisc ar athbhunú na Búine a foilsíodh sa *Catholic Scout Leaders' Bulletin,* mí Feabhra 1947, bhí an méid seo le léamh:

Tá dhá cheann de na patróil ag foghlaim ealaín na Gasóg-
achta trí Ghaeilge, agus tá cumann deonach Gaeilge
curtha ar bun ag an gCeannaire Cúnta Gasóg S. Sabhat.

D'ainmnigh Seán na patróil in onóir do laochra a dhein
íobairt ar son na hÉireann—Patról an Phiarsaigh ar an
gcéad cheann. Ag ceann amháin de chruinnithe seachtain-
iúla na Buíne ní labhartaí ach an Ghaeilge. Bhí sé ag súil
go bhféadfadh sé campa do Ghaeilgeoirí a chur ar siúl,
ach níor éirigh leis sa bheartas sin. Bhíodh teacht le chéile
speisialta, nó slógadh, ar a dtugtaí *Indoor Rally*, ag na
Gasóga ó am go chéile, agus chuige sin ba ghnách leo
gearrdhrámaí a léiriú. B'é Seán a mhol dóibh *Íosagán*,
dráma an Phiarsaigh, a léiriú ar cheann de na hócáidí seo.
Bhí intinn aibí bheartach aige, agus bhí sé lán de smaointe
is de sheifteanna uair ar bith a mbíodh cuspóir ar mhór
aige é le baint amach. Bhunaigh sé páipéar míosúil
Gaeilge do na Gasóga, *An Gasóg Óg*. Ar dtús ní bhíodh
ach cóip amháin de ar fáil, an bhunchóip ina pheannair-
eacht féin. Chrochtaí ar chlár i Halla na nGasóg í, i dtreo
go mbeadh caoi ag gach duine í a léamh. Bhíodh an
páipéar maisithe aige le pictiúir ghrinn.

Mí Lúnasa 1948 thosaigh sé ar an bpáipéar a ilchóipeáil
ar chóipinneall. Mar seo a labhair sé san eagarfhocal ar
an ócáid sin:

Seo dhaoibh, a chairde, an chéad eagrán den *Ghasóg Óg*
faoina chrot úr. Tá fhios againn go bhfuil tamall fada
sleamhnaithe thart ó tháinig an t-eagrán deireanach
amach. Shíleamar nárbh aon mhaith dúinn a bheith
ag iarraidh an Ghaeilge a athbheochan in aon bhuíon
amháin. B'fhearr dúinn iarracht a dhéanamh ar an
gcathair go léir a aontú, agus gluaiseacht ar aghaidh mar
aonad láidir. Shíleamar sin, agus ba é sin an fáth ar

bheartaíomar ar an iris dheoise a fhoilsiú. Is é toradh an smaoinimh *An Gasóg Óg*, iris mhíosúil Ghasógachta. . . .

Mar a dúramar cheana, is é dúnghaois is cuspóir an pháipéir seo Gasóga Luimní a aontú le chéile, dlúthchairdeas gach buíne le buíonta eile a leathnú, agus an Ghaeilge a chraobhscaoileadh ar fud na gceanncheathrúna.

Is léir ó na focail sin gur theastaigh ó Sheán an Ghaeilge a chur ar aghaidh i measc Ghasóga uile Luimní. Agus dhein sé níos mó ná *An Gasóg Óg* a chur ar fáil chun an Ghaeilge a leathadh ina measc. D'aistrigh sé go Gaeilge, nó fuair sé duine éigin a d'aistrigh go Gaeilge dó, na gnáthphaidreacha a deireadh na Gasóga; agus ansin, d'íoc sé as a gclóbhualadh é féin, agus scaip saor in aisce iad ar na Buíonta go léir i Luimneach.

IV

Ní raibh an Ghaeilge ar a thoil ar fad ag Seán Sabhat an uair úd, ach as sin amach níor staon sé ó bheith á foghlaim agus á cleachtadh, agus ó bheith ag santú cruinneas agus ceart ina labhairt agus ina scríobh. Le neart a ghrá di a dhein sé é sin go léir. Cad a dhein díograiseoir amach is amach de Sheán i gcúis na Gaeilge agus i gcúis na hÉireann? An mhuintir a raibh aithne mhaith acu air táid ar aonintinn gurbh í an léitheoireacht, go mór mór scríbhinní an Phiarsaigh. Bhí gach ar scríobh an Piarsach léite agus athléite aige, agus bhí a aigne múnlaithe dá réir go buan.

Sa bhliain 1948 chuaigh sé isteach i gCairde na Gaeilge, gluaiseacht a bhunaigh an tAthair Tomás ó Murthuile, C.Í., i gcathair Luimní sé bliana nó mar sin roimhe sin, agus gluaiseacht a dhein a lán chun suim sa Ghaeilge a mhúscailt i measc mhuintir na cathrach. B'é an príomh-chuspóir a bhí aici 'comhdhlúthas agus aontú Gael Luimní d'fhonn labhairt na Gaeilge a chur chun cinn i measc an phobail.' Bhí dream dílis sna Cairde, ar a raibh an Dr. P. mac Gearailt, Coláiste Mhainchín Naofa, an Dr. P. de Hindeberg, C.Í., agus an tAthair Athanáis, O.F.M. Bhíodh cruinniú seachtainiúil acu, agus ba ghnách léacht nó díospóireacht nó ábhar éigin suimiúil ar chlár gach cruinnithe. Uair sa bhliain bhíodh dinnéar agus céilí acu, agus duine cáiliúil éigin mar aoi ann—bliain amháin ba é an tUachtarán, an tUasal Seán T. ó Ceallaigh, a bhí ina aoi acu.

43

D'fhreastalaíodh Seán na cruinnithe go rialta; agus, uair amháin ar léirigh na Cairde dráma, *An Grá agus an Garda*, le Máiréad ní Ghráda, dhein sé páirt an Gharda ann, ach lochtaíodh mar aisteoir é toisc é a bheith róchiúin.

Le linn dó a bheith sna Cairde a casadh Liam mac Raghnaill agus Mícheál ó Corbáin air. Státseirbhísigh ab ea iad seo, a tháinig go Luimneach tamall gairid roimhe sin; bhí tréimhse caite ag Liam i gCraobh na hAiséirí de Chonradh na Gaeilge, agus bhí Mícheál ina bhall de Ghlún na Buaidhe, an eagraíocht a d'fhás as Craobh na hAiséirí nuair a chuaigh leath na craoibhe le polaitíocht agus thug 'Ailtirí na hAiséirí' orthu féin. Chuireadh Seán spéis mhór ina mbíodh le rá ag Liam agus Mícheál mar gheall ar mhodh oibre na Glúine agus na Craoibhe; agus, chomh maith leis sin, léigh sé na leabhráin a d'fhoilsigh Ailtirí na hAiséirí, agus níl amhras ná go raibh tionchar éigin ag na foilseacháin sin ar a dhearcadh i leith cúrsaí náisiúntachta.

Um an dtaca seo bhí suim thar cuimse aige i staid na hÉireann, agus bhraith sé go raibh sé de dhualgas air páirt a ghlacadh i saol polaitíochta na tíre. Ach cé acu páirtí a rachadh sé leo? D'fhéach sé ina thimpeall agus, tar éis breithniú géar a dhéanamh, thogh sé Clann na Poblachta. Thaobhaigh sé le Clann na Poblachta seachas Fianna Fáil mar gur cheap sé gur dhílse an Chlann do dhearcadh na bhfear a throid ar son na Poblachta ó 1916 go dtí 1923 ná páirtí De Valéra. Bhí sé ina rúnaí oinigh ar an gCoiste Bolscaireachta a bhí ag Comhairle Cheantair Chathair Luimní de Chlann na Poblachta, agus ghlac sé páirt ghníomhach in Olltoghchán na bliana 1948. An t-iarrthóir a bhí ag Clann na Poblachta i ndáilcheantar

Oirthear Luimní, an tUasal S. E. Ruiséil, bhí ardmheas
ag Seán air go deireadh a shaoil.

Labhair sé ar son an iarrthóra seo ag roinnt cruinnithe
poiblí i sráidbhailte anseo is ansiúd sa dáilcheantar ach, cé
go raibh sé lán de dhíograis, ní raibh sé oilte go leor ar
an bpolaitíocht, ná eolgach go leor ar mheon an ghnáth-
phobal tuaithe i 1948, agus chuir sé an bhéim go léir ina
chuid cainte ar an mbarrshamhlachas ba riachtanach chun
Éire a shábháil, in ionad ar phraghsanna bainne, beithíoch
agus barra feirme, rud a mbíodh a lucht éisteachta ag
súil leis.

Tar éis an toghcháin bhí ar Sheán roinnt litreacha a
scríobh go dtí *Treoraí Luimní* mar fhreagra ar litreacha a
scríobh an tUasal Mícheál ó hAthairne, rúnaí Fhianna
Fáil, sa pháipéar sin. Conspóid mar gheall ar mháchailiú
póstaeirí toghcháin ba chúis leis an gcomhfhreagras. Seo
mar a chuir Seán críoch leis an litir dheireanach a chuir
sé go dtí an páipéar: ' I, for my part, assure Ald. Hartney
that I regard this correspondence as completely im-
personal.'

Níor toghadh an Ruiséalach, agus nuair a chuaigh
Clann na Poblachta isteach sa Chomhrialtas níor bhac
Seán a thuilleadh leo. Ach bhí amhras ag teacht air faoi
Chlann na Poblachta fiú roimhe sin, agus bhí sé ag
féachaint ina thimpeall arís ag iarraidh an eagraíocht
pholaitíochta a bhí uaidh a aimsiú. Agus nuair a mheas
sé go mb'fhéidir go raibh sí aimsithe faoi dheireadh aige,
scríobh sé litir i nGaeilge ag lorg eolais ar an eagraíocht
sin, litir a chuir cor ina chinniúint féin. Seo í an litir a
scríobh sé, ar an 6ú Iúil 1948, chuig eagarthóir *An
tÉireannach Aontaithe,* iris Shinn Féin:

47, Sráid Anraí
Luimneach
6.7.1948

A Dhuine Uasail,

Is fada an lá anois ó chéadchuimhníos ar litir a chur chugaibh. Ag léamh *An tÉireannach Aontaithe* dom shocraíos ar é a dhéanamh gan mórán moille.

Ar an gcéad dul síos, measaim má tá an cuspóir céanna romham a bhí ag Tón, ag Dáibhis, ag an Mistéalach, ag Ó Leathlobhair, ag an bPiarsach agus Ó Conghaile—' chun an ceangal le Sacsaibh a bhriseadh '—measaim go bhfuil sé de chead agam Poblachtach a ghlaoch orm féin. Toisc a liacht saghas Poblachtach atá in Éirinn faoi láthair is mithid dom mo dhearcadh a mhíniú pas beag sula leanfad ar aghaidh.

Creidim (le Tón &rl) gurb í Sasana cúis gach oilc in Éirinn. Creidim go bhfuair níos mó ná an iomad de laochra Éireannacha bás ar son shaoirse na tíre. Níl ach cúpla ceangal le Sasana fágtha ach, dar m'fhocal, is leor iad. Go dtí go mbrisfear gach uile cheangal—cultúrtha, polaitiúil, eacnamaíoch—ní féidir le Poblachtaigh na hÉireann sos ná suaimhneas a thógáil.

Le tamall anuas bhíos amhrasach i dtaobh ' Poblacht an Fhoclóra.' Tar éis dom taisteal tríd an bhfásach shoilsigh an solas sa dorchadas—níl amhras ar bith orm anois.

Nuair a chuimhním ar na Sé Chontae, ar an diansaol atá á fhulaingt ag na Poblachtaigh ann, ar íobairt ár sinsear—agus ina theannta sin nuair a chuimhním ar Impireacht ' Dhaonlathach ' Shasana ag trácht ar Chríostaíocht, ar bhreithiúnas, ar shaoirse, ar chearta an chine dhaonna, os comhair UNO agus an domhain, agus nuair a fheicim ár nAirí Stáit ag dul anonn go Londain ag labhairt briathra bláithe leis na daoine ba chiontach leis an Teorainn agus leis an gCogadh Cathartha sa tír seo—

nuair a fheicim iad i gcomhluadar na dtíoránach sin briseann ar an bhfoighne agam.

Rófhada atá Éireannaigh ag iarraidh deireadh a chur leis an eascairdeas idir Sasana agus Éire. Tá sé in am don taobh eile rud éigin a dhéanamh anois. Is raiméis a bheith ag caint ar charthanacht Rialtas Shasana—níl a leithéid de rud ann. Níor thug siad aon rud riamh mura raibh faobhar airm taobh thiar den iarratas, is cuma cén dream a bhí i gceannas, páirtí an Lucht Oibre, Whigs nó Tories.

Ní raibh Sasana riamh chomh lag agus atá sí anois. Tá an Impireacht ag titim, faoi mar a thairngir an Mistéalach céad bliain ó shin. Tá an India ' saor '; tá an Phalaistín ' saor '; ach ar eagla go ndéanfadh muintir an dá thír sin dearmad ar réim bheannaithe Shasana thug Rialtas Shasana dóibh bronntanas cosúil leis an gceann a thug sí d'Éirinn i 1922—críochdheighilt agus cogadh cathartha.

Ar scoil d'fhoghlaimíos an nath seo—' England's difficulty is Ireland's opportunity.'

D'aontaíos leis sin ar scoil. Aontaím leis anois.

Is é mo thuairim go gcáinfear an ghlúin seo, faoi mar a cháintear na glúine idir Éirí Amach na bhFíníní agus 1916, mura ndéanfaidh an ghlúin seo gníomh go luath.

Táimse féin tuirseach den chaint. I mo thuairimse caithfear rud éigin a dhéanamh leis an náisiúntacht Ghaelach a choimeád beo. Tá fórsaí an Ghalldachais an-láidir, ach ní gá dúinn a bheith brónach dá bharr sin. Nach ndúirt Tomás Dáibhis go mairfeadh ár náisiúntacht slán mura mbeadh ach fear amháin ann a mbeadh sprid Ghaelach ann. Ceapaim go bhfuil níos mó ná duine amháin in Éirinn a bhfuil an fhíorsprid sin ann. Ach fad is a chuirfimid an gníomh atá le déanamh ar cairde beidh sprid na hÉireann ag dul i laige, agus is i láidreacht agus i neart a rachaidh sprid an namhad.

Na fadhbanna polaitíochta, fadhb na Teorann agus
athbheochan na Gaeilge, is fadhbanna náisiúnta iad, agus
mura bhfuil daoine áirithe ullamh dul ar aghaidh chun
cuspóir an Phiarsaigh a thabhairt i gcrích, caithfidh
daoine eile é a dhéanamh.

Sin é an fáth a bhfuilim ag scríobh chugat. Ceapaim
go bhfuil an dearcadh fíor-Phoblachtach agaibh. Níl
mórán eolais agam i dtaobh na heagraíochta sin agat.
Ba mhaith liom a thuilleadh eolais a fháil uirthi.

Faoi láthair táim i mo bhall de pháirtí polaitíochta.
Ceapaim go bhfuil siad ag dul ar aghaidh go rómhall—
sin é an fáth a bhfuilim ag scríobh chugat ag lorg eolais
ar bhur ndúnghaois.

Bheinn buíoch díot ach é a chur ar fáil dom.

Beir bua is beannacht !

SEÁN SOUTH

Ní miste a mheabhrú dúinn féin gur ógfhear fiche
bliain d'aois a scríobh an litir sin. Feictear ón litir nach
raibh aon tuairimí daingne fós ag an scríbhneoir i dtaobh
chúrsaí polaitíochta na hÉireann; is léir nár thuig sé gur
fhéach lucht *An tÉireannach Aontaithe* ar na páirtithe
polaitíochta go léir sa Dáil mar pháirtithe a bhí ag comh-
oibriú le Sasana i mbuanú na Críochdheighilte—ní
bhfuair sé féin de locht ar Chlann na Poblachta, a dúirt
sé, ach go raibh sé ag dul ar aghaidh go rómhall.

Ba mhacalla, b'fhéidir, as bolscaireacht Chlann na
Poblachta an tagairt a dhein sé do ' Phoblacht an Fhoc-
lóra.' Tharla, tráth, sa Dáil gur léigh De Valéra sain-
mhíniú an fhocail *Republic* amach as an *Oxford Dictionary*
chun a chruthú gur dhein Bunreacht na bliana 1937
poblacht de na Sé Chontae Fichead, cé nach ndúradh aon
rud mar gheall ar phoblacht sa Bhunreacht féin.
Dictionary Republic a thug Séamas Diolún go magúil ar

an stát tar éis an sainmhíniú sin a chlos. Bhíodh an téarma
Dictionary Republic go minic i mbéal na gcainteoirí a bhí
gníomhach ar son Chlann na Poblachta ina dhiaidh sin.

Ní raibh aon leagan Gaeilge den sloinne South le fáil
i leabhar an Athar de Bhulbh agus, ar dtús, bhaineadh
Seán feidhm as an litriú Béarla agus é ag scríobh i nGaeilge,
faoi mar a dhein i gcás na litreach go dtí *An tÉireannach
Aontaithe*. Tar éis tamaill, áfach, cheap sé leagan Gaeilge
é féin—Sabhat—agus an leagan sin a d'úsáideadh sé i
gcónaí ina dhiaidh sin. Nuair a bhí sé ag dul ar scoil ní
thugtaí Seán riamh air ach Jack. Ach ón uair a thug sé a
dhílseacht don Ghaeilge Seán a ghairm sé de féin, agus
is faoin ainm sin a bhí aithne ag an bpobal air.

Thosaigh sé ag cur suime in eagraíocht eile fós i 1948.
B'í sin Maria Duce, a bhunaigh an tAthair Donncha
Ó Fathaigh d'Ord an Spioraid Naoimh, sagart a raibh
an-mheas ag Seán air. Eagraíocht antoisctheach a bhí
i Maria Duce, a mbíodh mórán conspóide mar gheall
uirthi. Tuairimí frithchumannacha, frithmháisiúnacha
agus, uaireanta, frithghiúdacha a nochtaí i *Fiat*, páipéar
na heagraíochta. Is ar éigean má tháinig eagrán de amach
nár tugadh faoi airteagal 44 de Bhunreacht na hÉireann
ann, ar an ábhar nár fógraíodh go neamhbhalbh san
airteagal sin gur aithin an Stát an Eaglais Chaitliceach
mar an t-aon fhíoreaglais ar an saol seo.

Is é rud a deirtear in ailt 2 agus 3 d'airteagal 44:

2° Admhaíonn an Stát an chéim faoi leith atá ag an
Naomh-Eaglais Chaitliceach Aspalda Rómhánach
ós í is caomhnaí don Chreideamh atá ag ardfhormhór
na saoránach.

3° Admhaíonn an Stát, fairis sin, Eaglais na hÉireann,
an Eaglais Phreispitéireach in Éirinn, an Eaglais

Mheitidisteach in Éirinn, Creideamh-Chumann na
gCarad in Éirinn, maraon leis na Pobail Ghiúdacha
agus na haicmí eile creidimh atá in Éirinn lá an Bhun-
reacht seo a theacht i ngníomh.

I léacht dar theideal 'Toleration' a thug sé i mBéal
Feirste i mí an Mhárta 1954 thagair an Monsignor A. E.
ó Riain, D.D., Ph.D., do Mharia Duce agus dúirt:

> Maria Duce is an organisation about which the late
> Very Reverend Dr. Denis Fahy, of beloved memory, so
> often spoke and lectured. It is with the uttermost
> reluctance and distaste that I say anything against his
> views. I can say I differed openly with him when he was
> alive, and if he were here he would be the first to defend
> my right to differ with him now. (*Scéala Éireann,*
> 25ú Márta 1954).

Ag tagairt dó don fheachtas a chuir Maria Duce ar siúl
i gcoinne airteagal 44 den Bhunreacht dúirt an léachtóir
go bhfuair Bunreacht na hÉireann beannacht dís Cairdin-
éal Éireannach i ndiaidh a chéile, agus nár lochtaíodh é
riamh ag ionadaí an Phápa i mBaile Átha Cliath.

Bhí roinnt cúiseanna a mheall Seán i leith Mharia Duce,
mar atá: a chráifeacht láidir shimplí féin; an ghráin dhearg
a bhí aige don Chumannachas; an dearcadh ar chúrsaí
náisiúnta a bhí ag an eagraíocht, faoi mar a léiríodh é ina
cuid foilseachán, go háirithe san alt seo leanas a bhí i
gciorclán a cuireadh chuig na húdaráis áitiúla in Éirinn:

> The full aspirations of the Irish Nation will never be
> satisfied until Ireland is completely free and undivided,
> until every vestige of English domination, political and
> economic, is removed, and the Irish language becomes
> the everyday language of our people. . . .

Chomh maith le *Fiat* a scaipeadh, chabhraigh Seán, trí litreacha a scríobh go dtí *Treoraí Luimní*, leis an bhfeachtas a bhí ar siúl an t-am sin ag Maria Duce i gcoinne aisteoirí scannán i Hollywood a ceapadh a bheith claonta chun an Chumannachais. Foilsíodh an chéad litir uaidh ar an 10ú Eanáir 1949 agus an dara ceann ar an 24ú den mhí chéanna. Scríobh an tAthair ó Fathaigh chuige ar an 29ú Eanáir, agus ghabh buíochas leis agus dúirt: ' God will bless you for these letters; they have done my heart good.' Scríobh Seán dhá ghearr-alt ina dhiaidh sin faoin ainm cleite *Fear Faire*—scannáin Hollywood agus na haisteoirí ' dearga ' ab ábhar dóibh seo leis; agus níos déanaí arís scríobh sé alt cuíosach fada ar an gCumann- achas. San alt deireanach seo tharraing sé chuige focail an Phiarsaigh as an m*Barr Bua* den 13ú Aibreán 1912:

> . . . beidh ina chogadh ina dhiaidh sin .i. beidh Gaeil ag diúltú do cheannas Gall, beidh Gaill ag cur smacht ar Ghaelaibh, beidh corraí agus bruíon agus éirí amach mar do bhí le linn Chogadh na Talún. Is baolach go mbeidh dream nach ionúin leo Gaeltacht na hÉireann, dream nach ionúin leo Críostaíocht na hÉireann, dream a bhfuil bá acu leis an ní ar a dtugtar Cumannachas, dream a bhfuil bá acu le hainchríostaithe Shasana agus Roinn na hEorpa, is baolach go mbeidh an dream sin ag bailiú cúnaimh chucu má bhíonn ina chogadh in Éirinn, agus gurb iad sin a rachadh i gceannas Gael sa chogadh dá ligfí dóibh. Ba mhian linne Gaeil a chosaint ar an gcontúirt sin. Bíodh ina chogadh má chaithfear bheith ina chogadh, ach bímis dílis do Ghaeltacht na hÉireann, bímis dílis don Chríostaíocht, ná bacaimis leis an gCumannachas ná le haon ní iasachta dá shórt, ná bíodh baint ná plé againn le hainchríostaithe Shasana ná na hEorpa. Seasaimis go Gaelach grámhar gualainn

ar ghualainn idir chléir agus thuata faoinár maithe féin inár ndúiche féin chun ár gceart féin a bhaint amach.

Samhradh na bliana 1949 bhunaigh Seán craobh de Mharia Duce i gcathair Luimní. É féin a bhí ina rúnaí ar an gcraobh sin fad a mhair sí.

V

Oíche i dtosach mhí an Mhárta 1949 a raibh cruinniú de Chairde na Gaeilge ar siúl bhí comhrá ag Seán Sabhat, Mícheál ó Corbáin agus Liam mac Raghnaill le chéile. Nuair a bhí an cruinniú thart thugadar aghaidh ar phroinnteach, d'ordaigh trí chupán caife agus lean den chomhrá. B'é toradh an chomhrá sin gur chinneadar ar ghluaiseacht dá gcuid féin a chur ar bun. Shocraíodar, leis, ar chruinniú poiblí a chur ar siúl i gcathair Luimní lá 'le Pádraig d'fhonn cúis na Gaeilge a chur ar aghaidh.

Tionóladh an cruinniú, níor labhraíodh ann ach Gaeilge agus d'éirigh go maith leis. Tháinig roinnt eile de bhaill na gCairde isteach sa ghluaiseacht nua ansin, agus tosaíodh ar eagar a chur uirthi agus ar ullmhú bunreachta. Ní raibh na daoine seo sásta leis na Cairde, ná le haon eagraíocht eile a bhí an uair sin ag obair ar son na Gaeilge. Bhí ceist seo na n-eagraíochtaí Gaeilge á plé acu le tamall, agus ba é a dtuairim nach n-éireodh go deo le haon cheann de na heagraíochtaí a bhí ann go nuige sin an teanga a thabhairt ar ais. Seán agus a chomrádaithe bhíodar óg, díograiseach, agus theastaigh uathu buille trom a bhualadh ar son na teanga. Feasta, dúradar, bhíodar réidh le cúlseomraí na cathrach, réidh le caint is comhrá eatarthu féin, agus gan éifeacht ná éisteacht ag a mbriathra: rachaidís amach anois os comhair an phobail ar shráideanna Luimní, agus bhéar-faidís an Ghaeilge amach leo. Ar na daoine is túisce a chuaigh isteach sa ghluaiseacht nua—taobh amuigh de

53

D

Sheán Sabhat, de Mhícheál ó Corbáin agus de Liam mac
Raghnaill—bhí Pádraig mac Fhearadhaigh, Áine ní
Chonghaile agus Muiris ó Súilleabháin. Bhaisteadar an
Ardchomhairle orthu féin, agus thug 'Seadairí na
Saoirse' mar ainm ar an ngluaiseacht. Ceapadh Seán
Sabhat ina rúnaí ar na Seadairí.

Go luath ina dhiaidh sin d'fhoilsigh Seadairí na Saoirse
fillteán ag tabhairt faisnéis faoin ngluaiseacht agus faoina
cuspóirí.

A Éireannacha, a dúradar san fhillteán, tá an uair
tagtha ! Uair álainn dosháraithe eile chugainn agus
na sluaite ag bogadh ar aghaidh go bródúil i gcath náisiúin
ar son iomlán saoirse. Ar ndóigh, is dual dár gcine a
leithéid. Níl anseo ach ceart nádúrtha nach féidir a
shéanadh. Ceart é atá bunaithe agus fréamhaithe go
smior sa nádúr daonna, a shíolraíonn ó Dhia, atá mínithe
go soiléir i sanasáin na hEaglaise, agus atá cuachta istigh
i mbunreacht dleathach na tíre.

Dúradar gurbh é an ceann sprice a bhí rompu cumhacht
Shasana a bhriseadh agus a ruaigeadh as an tír ar fad.
Fiú dá mbeadh saoirse pholaitíochta bainte amach don
tír ar fad níor leor sin chun cumhacht Shasana a bhris-
eadh. Chaithfí an oidhreacht spioradálta a thabhairt slán
leis, agus:

Braitheann an oidhreacht seo ar an teanga asar fáisceadh
í ó thosach, is é sin, ar an nGaeilge. . . Ní féidir ár
mbeatha náisiúnta, idir chorp is anam, a chumadh i
múnla na hoidhreachta sin is dual dúinne, Éireannaigh,
gan feidhm a bhaint as an nGaeilge is eochair agus is bun
d'fhoinsí na beatha náisiúnta seo go léir, foinsí atá anois
clúdaithe agus múchta ag an mBéarla, leis na smaointe,
meon, sibhialtacht, is leis an oidhreacht eachtrannach atá

taobh thiar de, oidhreacht is sibhialtacht nach bhfeilfidh choíche ná go deo agus, dá bhrí sin, a gcaithfimidne, Seadairí na Saoirse, a bhrú gan trócaire gan staonadh as an tír. . . Le cúnamh Dé, agus faoi stiúradh Mhuire, a Mháthair gan Smál, éireoidh linn san obair !

B'iad seo na cuspóirí a chuir na Seadairí rompu, de réir an fhillteáin:

1 Gaeilgeoirí uile na hÉireann a tháthadh le chéile in aon arm ábhalmhór amháin le buille marfach a thabhairt don Bhéarla.

2a An Ghaeilge a labhairt eadrainn féin agus linn féin i gcomhluadar, cé go mbeadh daoine eile ag labhairt linn as Béarla.

 b I gcúrsaí scríbhneoireachta, leis, feidhm a bhaint as an nGaeilge.

 c Tiocfaidh múinteacht agus dea-bhéas isteach sa scéal, dar le Béarlóir. Níl ansin ach cur i gcéill. Leisce agus easpa tuisceana ar náisiúntacht is cúis leis an mBéarla. Caithfear é sin a chur ina luí ar na Béarlóirí. Tá toil bhorb thréan dochloíte ag teastáil leis an dúnghaois seo a chomhlíonadh. Mura bhfuil na cumhachtaí tola uile seo agat b'fhearr duit fanacht amach ó Sheadairí na Saoirse.

 d Aoinne atá faoi chumhacht saoiste nach bhfuil fabhrach don Ghaeilge beidh sé de chead aige Béarla a labhairt ach an cead sin a fháil ón Ardchomhairle.

3 Déanfaidh gach Seadaire a chion ar son dhéantúis na hÉireann.

4 Is intuigthe, mar sin, gurb ionann Seadaire agus soiscéalaí náisiúnta i gcraobhscaoileadh Gaelachais.

Tá an méid seo as fillteán na Seadairí thar a bheith tábhachtach ar an ábhar seo: go léiríonn sé i bpáirt mhaith meon, aigne, dearcadh agus fealsúnacht Sheáin Sabhat as sin amach go dtí lá a bháis.

Is i dteach Phádraig mhic Fhearadhaigh a bhí an chéad chruinniú foirmiúil ag na Seadairí. D'aistríodar ansin go dtí áras a bhí i seilbh an AOH i 23 Sráid Thomáis. Shocraíodar ar shraith de chruinnithe poiblí a chur ar siúl agus, le cabhair an Uasail S. E. Ruiséil, iarrthóir Chlann na Poblachta in Olltoghchán 1948, méara Luimní ina dhiaidh sin, agus fear a bhí an-chairdiúil le Seán, cheannaíodar aimplitheoir. Siúd amach anois iad ar shráideanna Luimní i mbun cruinnithe poiblí, seachtain i ndiaidh seachtaine, i Rae Bedford agus ag dealbh an Chonallaigh sa Chorrán. Ba líofa na cainteoirí a labhraíodh ag na cruinnithe sin, i nGaeilge amháin, agus iad ag craobhscaoileadh shoiscéal na Gaeilge agus an Ghaelachais. Chuir sé ionadh ar dhaoine na cainteoirí seo den chéad scoth a chlos, duine i ndiaidh an duine, ó ardán ar thaobh sráide, agus gan focal Béarla ó aon duine acu.

Go mall soiléir díograiseach a labhraíodh Seán Sabhat, i nguth séimh fearúil, dáiríreacht san uile fhocal uaidh—b'fhéidir go dtabharfadh éisteoir anseo is ansiúd faoi deara nach raibh blas na Gaeilge go hiomlán fós ar a chuid cainte aige. Ansin thiocfadh, b'fhéidir, Liam mac Raghnaill os comhair an mhiocrafóin, agus tuin cheolmhar Chorcaí ar a fhriotal siúd. Ina dhiaidh sin, is é an fear as Baile Átha Cliath, Mícheál Ó Corbáin, a labhródh. Bhailíodh na daoine timpeall orthu ag éisteacht leo agus, cé nach dtuigfeadh a bhformhór mórán den chaint, bhí a lán díobh mórálach as na fir óga seo nach raibh náire orthu teacht amach os comhair an phobail ag labhairt i nGaeilge ar son na Gaeilge. Ach bhí daoine eile ann, agus Gaeilgeoirí ina measc, a dúirt go raibh Seán Sabhat agus a chairde beagáinín as a gcéill !

Domhnach Cásca 1949, d'fhonn íobairt an Phiarsaigh a chomóradh i slí a cheapadar a bheadh lán-oiriúnach, thug ceathrar de na Seadairí, Mícheál ó Corbáin, Seán Sabhat, Pádraig mac Fhearadhaigh agus Liam mac Raghnaill, sciuird amach i ngluaisteán faoin gcontae, agus labhair i gCromadh, Brú Rí, Cill Fhíonáin agus Cill Mocheallóg. Murar dhein siad aon rud eile an lá sin thug siad ábhar comhrá do na daoine sna bailte beaga seo go ceann seachtaine ina dhiaidh sin, mar bhí gach duine ag déanamh iontais de na cainteoirí coimhtheacha a thug an rabharta Gaeilge leo ar an Domhnach.

Nuair a d'fhill an ceathrar ar chathair Luimní tráthnóna reachtáileadar mórchruinniú i Rae Bedford, agus d'athchan na briathra a bhí canta cheana acu an lá sin ar fud an chontae.

Dúirt Mícheál ó Corbáin nach í an Éire seo an Éire bhí anallód ann, ach Éire lucht Béarla agus beadaíocht Gall. B'ionann, a dúirt sé, an Dáil seo againne agus Dáil na Sacsan sa mhéid gurbh í an teanga chéanna a bhí á labhairt iontu araon.

Creideann Seadairí na Saoirse, ar seisean, i dteagasc na dtreoraithe náisiúnta, agus ar an ábhar sin tuigid nach bhfuil saoirse anama na hÉireann bainte amach go fóill. Tá go leor Gaeilgeoirí, múinteoirí agus a leithéidí, agus nílid lándáiríre faoin athbheochan. Ní chun ranganna Gaeilge a bhunú is ea tháinig Seadairí na Saoirse ar an saol, ach chun ord agus eagar a chur ar Ghaeilgeoirí ionas, trí neart dílseachta agus aontachta, go mbrisfidís ar an mBéarla. Ní féidir leis an náisiún dul chun cinn ar bith a dhéanamh mura mbíonn an toil nó an náisiúntacht aici.

Dúirt Seán Sabhat nach raibh amhras ar Sheadairí na

Saoirse ná go bhfreagródh muintir na hÉireann comh-
ghairm na Seadairí, d'ainneoin a laige a bhí sprid náisiúnta
na tíre, d'ainneoin a láidre a bhí fórsaí an Ghalldachais,
d'ainneoin nach raibh mórán á dhéanamh ag fir agus mná
óga na hÉireann ar son a gcine ná ar son a n-athartha.
'Le lánmhuinín astu féin,' ar sé, 'agus as a gcúis do-
mharaithe tá na Seadairí ullamh chun a gcuspóirí a chur
i gcrích gan tuilleadh moille, agus gan leithscéal a
ghabháil le haoinne.'

Ag tagairt dó do mhodh oibre agus gléasanna cogaidh
na Seadairí, dúirt sé gurbh é an t-armas a bhí ar mheirge
na Seadairí claíomh ag réabadh an cheangail le Béarla;
gurbh é an rosc catha a bhí acu *Bás don Bhéarla !* ; gurbh
é an ceann sprice a bhí rompu Éire a bheadh saor agus
Gaelach. Ag cur síos dó ar rialacha na Seadairí, dúirt
sé nár fágadh aon lúb ar lár iontu; nárbh fhéidir a mhal-
airt de bhrí a bhaint astu, go rabhdar uile simplí, soiléir,
sothuigthe ach, cé gurb amhlaidh a bhí, nár rófhurasta
ná ró-éasca iad a chomhlíonadh.

Nuair a bhí deireadh ráite ag Seán labhair Pádraig mac
Fhearadhaigh faoi na daoine a raibh Gaeilge acu agus
nach raibh toilteanach í a labhairt.

B'é Liam mac Raghnaill an cainteoir deireanach.
Mórtas cine agus misneach a mhúscailt sa tír, ba iadsan
aidhmeanna na Seadairí, a dúirt sé. Agus ba í an Ghaeilge
an uirlis chun é sin a dhéanamh. Gan bród tíre agus
mórtas cine ní leigheasfaí fadhb an díomhaointis, ná fadhb
na himirce, ná fadhb na críochdheighilte.

Tar éis tamaill chinn na Seadairí ar pháipéar a fhoilsiú,
agus fágadh faoi Sheán Sabhat, Liam mac Raghnaill agus
Mícheál ó Corbáin an páipéar a chur ar fáil. Ach chabh-
raigh na baill eile leo trí ailt a scríobh dóibh agus giotaí

nuachta a sholáthar. *An Dord* a thugadar ar an bpáipéar,
agus Meán Fómhair 1949 a tháinig an chéad uimhir
amach. Ocht leathanach a bhí ann. Seán Sabhat a ghearr
na stionsail dó, ar chlóscríobhán a fuair sé ar iasacht; agus
dhein sé iad a ilchóipeáil ar sheanchóipinneall dá chuid
féin. Bhíodh ailt den ilchineál sa *Dord*, cuid acu ó láimh
Sheáin.

In alt sa chéad uimhir deineadh comparáid idir Dáil na
Sé Chontae Fichead agus an chéad Dáil Éireann lena
thaispeáint gur mhó go mór an meas a bhí ag Teachtaí
Dála 1919 ar an nGaeilge ná mar a bhí ag Teachtaí Dála
1949.

San uimhir chéanna tugadh comhairle don phobal i
dtaobh na Jehovah's Witnesses, agus cáineadh na
hÉireannaigh sin a bhí ag imirt ar ghalf-fhoireann na
Breataine. Faoin teideal *Chuala Mo Chluasa* bhí na
míreanna seo nuachta agus tuairimíochta:

. . . Gur bunaíodh craobh de *Mharia Duce* anseo le
déanaí. . . go bhfuiltear ag iarraidh buíon Ghaelach a
bhunú san Fhórsa Cosanta Áitiúil i nDún an tSáirséal-
aigh . . . nach gá d'Iar-Bhriotánaigh Luimní a bheith
imníoch ar chor ar bith—nach bhfuil Bardas Luimní
chun leacht na nIar-Shaighdiúirí i gCearnóg Phery a
leagadh[1] . . . gur mithid do ghluaiseacht Ghaeilge áirithe
deireadh a chur le siesta an tsamhraidh agus iarracht
dháiríre a dhéanamh ar chuspóirí an Phiarsaigh a chur i
gcrích . . . go bhfuil bratacha trí dhath ar foluain os cionn
tithe gnótha áirithe agus nach ndéanfadh sé aon díobháil
cúpla ceann acu a ní anois is arís.

San eagarfhocal bhí an méid seo:

[1] Séideadh an leacht seo san aer le moiche maidine an 7ú Lúnasa 1957.
Atógadh é ó shin.

Tá áthas orainn a chlos go bhfuil deireadh le stailc na mbúistéirí i gcathair Luimní. Ar ndóigh bhí sé thar am. . . An bhfuil cathair ar bith eile sa tír seo atá chomh cráite agus chomh treascartha ag stailceanna ?

Eagarfhocal ciallmhar réasúnach ab ea é. Moladh go mba chóir go mbeadh cumhacht dlí ag an gCúirt Oibreachais chun a breithiúnas a chur i bhfeidhm, ach go gcaithfeadh an Chúirt a bheith neamhspleách faoi mar a bhí na gnáthchúirteanna. Bhí alt ar na slumanna sa chéad uimhir sin den *Dord* ; bhí alt ann ar na faisin do na mná; bhí comórtas ann, agus alt ar spórt.

Tháinig uimhir a dó den pháipéar amach i nDeireadh Fómhair. Ar na hailt a bhí ann bhí an chéad dréacht as cuntas ar ' An Urghaire Éireannach,' leis an Athair Pádraig mac Gearailt, D.C.L., arna fhoilsiú le cead an Dochtúra uí Néill, Easpag Luimní. Bhí cur síos san eagarfhocal ar Dhíluacháil an Phuint—níor réitigh sé leis an díluacháil; agus faoi *Chuala Mo Chluasa* cuireadh in iúl ' Go bhfuil an bhuíon Ghaelach bunaithe san FCÁ.' A bhuíochas sin, ar ndóigh, do Sheán Sabhat.

Níor tháinig uimhir a trí den *Dord* amach go dtí mí an Mhárta 1950. Bhí tuairisc inspéise ann ar Dhamhsa Fiaigh :

Le déanaí chonaiceamar cur síos ar dhamhsa fiaigh a tionóladh in áit áirithe sa chontae seo. Chuireamar an-suim ann i dtaobh an méid a thaispeánann a leithéid dúinn staid na tíre seo. Tá ainmneacha na ndaoine a bhí páirteach sa scléip seo luaite ann agus, a Thiarcais, cad a bhí iontu ach Sasanaigh, a bhformhór ! Tháinig siad seo isteach tar éis an Chogaidh, agus ghlacadar seilbh ar thailte réidhe míne méithe na tíre seo. Anois, cuimhnigh ar an méid fola a doirteadh le hiad a scrios as an

tír tríocha bliain ó shin. Tá na boic mhóra seo tal-
mhaithe inár measc arís, agus greim daingean acu ar
limistéir na hÉireann, agus ár ndaoine féin ag éalú thar
lear ar an ngannchuid agus le teann ocrais. . . . Cad tá á
dhéanamh ag rialtas na tíre seo ? Tá a fhios acu go maith
cad atá ag titim amach. Táid faillíoch ina ngnó. Ag díol
ár n-anamacha ! . . .

Cé nach bhfuil aon ainm leis an gcuntas seo ar an
damhsa fiaigh is beagnach cinnte, ón stíl agus ó na
smaointe a nochtadh ann, gurbh é Seán a scríobh é.

Is iomaí oíche fhada a chaith na Seadairí ag ullmhú
An Dord agus á dhéanamh réidh lena chur amach agus a
scaipeadh i measc an phobail ag na cruinnithe. Bhíodh
Seán Sabhat i mbun an chóipinnill, a aghaidh agus a dhá
láimh smeartha ón dúch; Mícheál ó Corbáin ag comhair-
eamh na leathanach, á gcur in ord, agus á gcrochadh ar
théada a bhíodh ceangailte aige timpeall an tseomra, á
dtriomú, agus bhíodh Liam mac Raghnaill i mbun dream
beag arbh é a gcúram na leathanaigh thirime a ghreamú
dá chéile.

I dtosach Iúil 1949 chuir na Seadairí cóip dá bhfillteán
chuig daoine in áiteanna éagsúla in Éirinn. Ar na daoine
a fuair cóip bhí Eithne nic Shuibhne i gCorcaigh. Scríobh
sise ar ais chucu, agus dúirt go raibh eagla uirthi nár
thuigeadar stair na mblianta ó 1921 nó 1922 anuas, go
mór mór an chuid sin di a bhain le Conradh na Síochána
agus an Cogadh Cathartha agus bunú an tSaorstáit. Níor
dhein sí aon dá leath dá dícheall ag cur in iúl dóibh gurbh
amaideach an rud é a bheith ag trácht ar shaoirse a bheith
buaite acu nuair a bhí na Gaill fós i seilbh sé chontae de
thalamh na hÉireann. Níl aon amhras ná gur dhein Seán
a thuilleadh machnaimh ar chúrsaí polaitíochta na

hÉireann tar éis an litir seo ó dheirfiúr Thraolaigh mhic Shuibhne a léamh.

Bhí an-tionchar go deo ag an ngluaiseacht seo Seadairí na Saoirse ar Sheán, agus cé nár mhair an ghluaiseacht ach roinnt bheag blianta d'fhan Seán ina Sheadaire go deireadh a shaoil. Ón lá a chuaigh sé isteach sna Seadairí thug sé droim láimhe leis an mBéarla, agus níor labhair go toilteanach é riamh ina dhiaidh sin.

VI

BA BHROIDIÚIL an bhliain ag Seán í an bhliain sin 1949.
Bhí sé sáite in obair na Seadairí. Samhradh na bliana sin
a bhunaigh sé craobh de Mharia Duce sa chathair, agus
bhí sé ag gníomhú mar rúnaí uirthi siúd. Chomh maith
leis sin bhí sé ag cabhrú leis an gcléir chun teacht ar eolas
mar gheall ar na Jehovah's Witnesses a bhí an-ghnóthach
i Luimneach an uair sin ag dul ó theach go teach ag
scaipeadh leabhrán agus paimfléad i measc na ndaoine ag
iarraidh iad a mhealladh ón gcreideamh sinsir. Toisc a
fheabhas agus a dhiscréidí a dhein sé an gnó seo chuir
Easpag na deoise a bheannacht chuige á mholadh go mór
as a dhíograis.

1949, freisin, a chuaigh sé isteach sa Réalt, a bhí bunaithe
sa chathair ó mhí na Samhna 1948. Deir Bean uí Ghráda
(Úna ní Ailpín, de chlann na rinceoirí) go raibh sí ag
iarraidh Seán a mhealladh isteach i Léigiún Mhuire ar
feadh i bhfad, agus go raibh ag teip uirthi go dtí go
ndúirt sí leis go raibh Praesidium de Ghaeilgeoirí á bhunú
chun an Réalt a riaradh. Ar gclos an scéil sin dó tháinig
solas ina shúile, mhaígh a ghean gáire air, agus bhí léi.

An 24ú Deireadh Fómhair 1949 comhthoghadh ar
Choiste Chraobh Luimní de Chonradh na Gaeilge é.
Agus ina theannta seo go léir bhí sé ina chomhalta
díograiseach den FCÁ.

Bhí aithne anois ar Sheán Sabhat ag pobal na Gaeilge i
Luimneach, agus bhíodh éileamh air mar chainteoir ó
chumainn agus ó dhreamanna éagsúla a bhí ag saothrú

ar son na teanga. Ar chuireadh ón mBráthair ó Tatháin, Uachtarán, labhair sé ag ceolchoirm i Scoil na mBráithre, Sráid Seasnáin, Luimneach, Lá 'le Muire gan Smál 1949; agus an oíche ina dhiaidh sin, an 9ú Nollaig, bhí sé ar an triúr Seadaire a labhair ag Oíche Ghaelach a bhí ag Conradh na Gaeilge i mBrú Rí.

Toisc a dhéine a bhí rialacha na Seadairí is beag le rá an méadú a tháinig ar an mballraíocht. Leis an scéal a leigheas bhunaigh Seán gluaiseacht dá chuid féin—Giollaí na Saoirse. Buachaillí idir deich mbliana agus ceithre bliana déag, nó mar sin, a bhí sna Giollaí. Bhí súil ag Seán go rachaidís siúd isteach sna Seadairí amach san aimsir. Thosaigh sé le dream beag, ach d'éirigh chomh maith sin leis go raibh aige, sar i bhfad, idir dhá agus trí scór Giollaí. Gaeilge ar fad, ar ndóigh, a labhraídís. Seo a bhí sa duilleoigín bolscaireachta a cuireadh timpeall i measc bhuachaillí na cathrach:

An maith leat cluichí mar pheil, iománaíocht, leadóg bhoird, liathróid láimhe ?

An maith leat turais faoin tuath ?

An maith leat a bheith páirteach i ndrámaí agus i gcomórtais ?

An maith leat campaí deireadh seachtaine ?

An maith leat dornáil ?

An maith leat cluichí mar Dhalladh Púicín, ' Deir Ó Gráda,' na Bailte, Tráth na gCeisteanna, & rl ?

An maith leat cainteanna ar laochra uaisle na hÉireann ?

Ar mhaith leat cabhrú linn le cuspóirí an Phiarsaigh a chur i gcrích ?

Más mian leat na nithe sin go léir thuas, agus a thuilleadh, bí i do Ghiolla !

Bhíodh dhá chruinniú in aghaidh na seachtaine ag na

Giollaí in Áras Chonradh na Gaeilge i Sráid Thomáis,
agus d'fhéach Seán chuige go mbíodh clár taitneamhach
ann i gcónaí. Sa gheimhreadh d'fhanaidís istigh ag
foghlaim faoi laochra na hÉireann, ag cleachtadh máir-
seála, ag imirt cluichí, ag dornáil. Aimsir na Nollag
bhíodh fleá acu. I rith an tsamhraidh bhuailidís amach
faoin tuath ar thurais agus is iomaí maidin ghrianmhar
Domhnaigh a d'fheicfeá na buachaillí ag máirseáil go
fearúil ina mbeirteanna síos Sráid Thomáis, mála agus
lón lae istigh ann ar gach droim—agus taobh thiar díobh
Seán, gona cheann rua, siúl socránta neamhdheabhaidh
faoi, agus é ar nós fathaigh leis an airde a bhí ann i gcom-
paráid leo siúd.

Bheartaigh sé ar champa deireadh seachtaine a chur ar
bun do na Giollaí samhradh na bliana 1949. An 30ú
Bealtaine scríobh sé go dtí an Roinn Cosanta mar leanas:

Táim i mo sháirsint san Fhórsa Cosanta Áitiúil (49ú
Cathlán, Dún an tSáirséalaigh, Luimneach).

Tá cumann Gaelach agam—Giollaí na Saoirse—le
haghaidh buachaillí óga, agus tá ar intinn agam campa
deireadh seachtaine a thionól ón 3ú go dtí an 6ú Meith-
eamh. Bhí socair agam pubaill & rl a fháil ó Ghasóga
Caitliceacha na hÉireann, ach beidh siadsan i gcampa an
tráth céanna. De bhrí nach bhfuil sé ar chumas na
nGiollaí i láthair na huaire campa a cheannach, táim
ag scríobh chugat agus súil agam go mbeidh ar chumas
an Roinn Cosanta cabhrú liom leis an gconstaic seo a
shárú.

Bheadh an-díomá ar na buachaillí, dúirt sé, mura
bhféadfaidís dul i gcampa, agus d'iarr sé ar iasacht ón
Roinn ar feadh deireadh seachtaine, dhá phuball mhóra
nó deich gcinn de *bivies*. Bheadh sé sásta pé costas a

bheadh orthu a íoc.

Níor éirigh leis an campa a chur ar siúl an bhliain sin, ná an bhliain ina dhiaidh sin; ach sa bhliain 1951 chaith sé féin agus cuid de na Giollaí deireadh seachtaine faoi chanbhás i mBun Raite i gContae an Chláir.

Bhí a lán slite aige chun suim na nGiollaí sa Ghaeilge a mhéadú. Uair amháin, mar shampla, thairg sé duais d'aon duine acu a d'aimseodh cainteoir dúchais Gaeilge i gcathair Luimní. Daoine ón nGaeltacht a bhí fostaithe sa chathair a bhí i gceist aige. Thángthas ar roinnt cainteoirí dúchais sa tslí sin.

Nuair a bhí na Giollaí idir lámha aige tamall chinn sé ar pháipéar a chur ar fáil dóibh; agus mí Mheán Fómhair 1951 chonacthas an chéad uimhir de *An Giolla*. Foilseachán tarraingteach, slachtmhar ab ea é. Bhí léaráidí go flúirseach ar gach leathanach de. Seán féin a dhear na léaráidí sin go léir ar na bunstionsail—saothar nár dhóithín; agus é féin a scríobh gach alt agus mír dá raibh ann, taobh amuigh de dhán amháin.

Ar chlúdach an chéad uimhir seo bhí pictiúr de laoch Éireannach; meirge os a chionn agus ainm an pháipéir air; bhí sleá ina láimh dheas agus sciath ina láimh chlé, ar a raibh an clár—*Greann-go-leor, Scéal Sheadanta, Fae an Leipreachán, Comórtas, Cuimhní Campa, Dánta agus Scéalta, Fógraí*. Bhí trí cinn déag de phictiúir ag léiriú scéal Sheadanta. Bhí duaiseanna le fáil ar scéilíní grinn—leabhar le Réics Carló, mórghrianghraf de chéad fhleá na nGiollaí, agus suimeanna airgid. Sa réamhrá bhí cur síos ar 1916 agus ar an bPiarsach, agus faoi chuspóirí na nGiollaí féin; agus ansin:

> Ardaímis na meirgí athuair !
> Gluaisimis sa bhearna baoil !

Téimis sa chomhrac le lucht an Ghalldachais,
Na seoinínteachta, na Nuaphágánachta !

Ar an gcéad leathanach eile bhí comórtas na míosa—
léaráidí d'fhoirgnimh agus de leachtanna stairiúla i
Luimneach a bhí ann, agus duaiseanna á dtairiscint as iad
a ainmniú. Ar leathanach eile bhí pictiúr de Bhun Raite
agus ainmneacha an tseachtair a chaith deireadh seacht-
aine ann i gcampa na nGiollaí. Ar an leathanach deirean-
ach—ocht leathanach ar fad a bhí ann—bhí an chéad mhír
de shraithscéal, *Fae an Leipreachán*.

Is sna dánta beaga a scríobh sé le haghaidh an pháipéir
seo is fearr, b'fhéidir, a léirigh Seán a mheon, an meon
simplí, díreach sin:

A Íosagáin,
De ghrá lán,
Éist le guí
Ód Ghiollaí.

Cabhraigh leo
Bheith go deo
Dílis d'Éirinn
Is dá dteangain.
       Amen !

Bhí léaráid de bhás Chúchulainn ar chlúdach an dara
huimhir, mí Dheireadh Fómhair. Ar an gcéad leathanach
bhí cur síos gairid ar na Giollaí is ar a gcuspóirí:

Cé hiad na Giollaí ? Gaeil óga ag leanúint lorg laochra
    Éireann.
Conas ? Tríd an nGaeilge a labhairt eatarthu féin i
    gcónaí.
Cén fáth ? Chun a dtírín a dhéanamh saor Gaelach.

Ar leathanach eile bhí an phaidir seo a deireadh Seán
féin gach lá:

> *A Mhuire chaoin, a Mhaighdean mhín,*
> *Fuair cumhacht fíor os cionn gach mná,*
> *Díbir réim an Bhéarla as ár dtír,*
> *Agus fág an Ghaeilge chaomh ina áit.*

Uimhir i gcuimhne ionsaí Ireton ar Luimneach i 1651
a bhí in eagrán na Samhna; é taitneamhach inléite, agus
flúirse léaráidí ann—rud a d'fhéadfaí a rá faoi gach uimhir
den *Ghiolla* a foilsíodh. Nocht Seán a dhearcadh náisi-
iúnta athuair san eagarfhocal. Thagair sé ar dtús don tslí
inar ceiliúradh an ócáid i gcathair Luimní—Aifreann,
seanmóirí, léachtaí, mórshiúlta, leabhrán, taispeántas
stairiúil.

Ach, ar sé, bhí ní míshásúil ann, agus ba é sin an dímheas
a caithead h ar an nGaeilge. Ní d'fhonn cáinte a luaimid
seo, ach toisc go léiríonn sé dearcadh atá forleathan sa
tír seo.

Ní annamh a deirtear go bhfuiltear ag iarraidh
deighilt a dhéanamh idir an Saoránach agus an Críostaí
sa mhéid go gcuirtear an Creideamh i gcúinne beag
leis féin, gan ligean dó a thionchar a oibriú ar ghnéithe
saolta de bheatha an duine.

Gan na cúiseanna is ciontach leis a áireamh, deirimid go
bhfuil an rud céanna á dhéanamh maidir leis an nGaeilge.

Ní gá a rá conas, *ach tá sainmhíniú fíorbhréagach ar
shaoirse á chraobhscaoileadh in Éirinn inniu.*

Táid ann a thráchtann ar náisiún na hÉireann do
dhéanamh a cheangal leis na glúine a d'imigh romhainn,
ach a shéanann, san am céanna, an Ghaeilge agus gach a
mbaineann léi.

Níl a leithéid ceart ná ciallmhar.

COMÓRTAS

Annseo ċíos tá pioṫĵúirí na laoċ a ṡínĵ ḟ Forósra na
Poblaċta in Éirĵ-Amaċ 1916. Seaċtar leis na bliaḋne
D'uaiste a fuair bás aċ uaĵr ar
son na h-Éireann.

Ċun buaiḋ do buaḋaint 'sa' **Comórtas** scríoḃ síos a n-aĵnm
ĵ inólaiṫ uĵmreaċa a ḃpioṫĵúirí aḋus cuir ċ so bċĵ an so.

Tá poĵmĵ leis na piċċúĵn
tuaĵ aĵ-ḋaĵléĵr,
Ẑabaĵnĵó búĵr leaṫĵĵéal.

"AN RÓD SIN ROMAINN"

A Pádraig Mhic Phiarais,
fear có dílis,
gur tugais do beata
ar son do tíre.
Níorb leór d'íobart
le h-Éirinn do saoradh,
mar sin ag na giollaí
bíodh tú mar treóraí
ar an ród sin rómpa.

Scéal eaḋanta an Cú-Ċulainn.

Faoḃ in-éirinn
ḃo cúġaḃ an Rí
Fluaḃ is Fusta ḃa
uaiste, ḃo ġéanaḃ
ḃá ṫaoiseĠ iuaR a
Séanḃa ṫoin Rí.
. . . .
. . . .
. . . .
. . . .

Fuair Rí Conjúḃair ḃáe Noisa cuireaḃ ar Fáasta ó ṡaḃainn ḃaiḃ ainm ḃó
Culann....Bo ḃieaj luis Seḃanta ĠĠ.Bo ṫaḃuiRt lais ḃó ḃí sé aĠ iṁiRt
lonḃann Scanḃia an Rí Conḃúḃair...Car éis an ḃluiḃe lonḃann Scanḃia an Rí Conjúḃar...

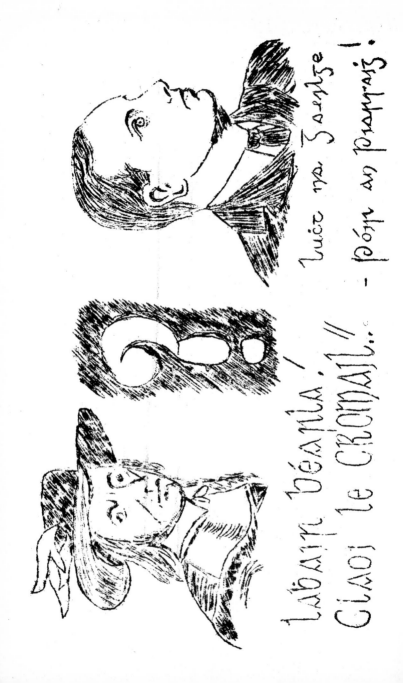

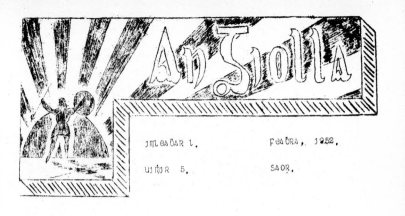

IMLEABAR 1.   FEABRA, 1952.

UIMIR 5.   SAOR.

Bealtaine, 1956.

D'ampíon an ṡpriodṡṫaṫ ṙo ṙaḃanṫe ṫe ḃeannaí
b'ṙeóin ṙo mḃéú aiṫe aṫaṫ aṫ cúpla "ṗioṫa"!

Mór-ṁeaṫ
Seán Saḃín.

Níl ach an t-aon náisiún ar a dtugtar Éire ann—sin Éire Ghaelach.

In áit eile san uimhir sin bhí dán beag le Seán dár theideal *Sancta Maria* :

> 'Ghiollaí a chroí,
>   Gan urnaí
>   Níl aon neart
>   Le do bheart.
>   Bíodh an Mhaighdean
>   Mhuire, banríon,
>   Mar do thearmann
>   Ins an bhearnain.

Ar an leathanach céanna bhí dhá léaráid—ceann de Chromail agus ceann den Phiarsach—agus faoi na léaráidí na focail: ' Labhair Béarla—Cloígh le Cromail ! Lucht na Gaeilge—Pór an Phiarsaigh ! ' Mar sin a chonaic Seán é, sin a chreid sé ina chroí istigh. Agus sin é an fáth a mbíodh náire air Béarla a labhairt.

Bhí uimhir na Nollag den *Ghiolla* go gleoite. Is ann a bhí an dán beag seo a cheap Seán:

> Ciúnas, suaimhneas,
>   Meán na hoíche,
> Moladh is lúcháir—
>   Teacht Ár dTiarna.
>
> Gan ach triúr,
>   Ach, monuar !
> Spás ní raibh
>   I mBeithil dóibh.
>
> Seachnaígí,
>   A Ghiollaí,

E

Aon dúnadh croí
  Roimh theacht an Rí.

Máthair is athair,
  Is Naíonán,
Triúr i stábla—
  ' Tá na hóstáin lán.'

Muire is Iósaf,
  Is Íosagán,
Nach fuar a fáiltíodh
  Roimh shlánaitheoir an domhain !

Féach ! An Leanbh
  Insan mainséar,
Is é bhur gcosaint
  Ar gach dainséar.

Arís, tugann an t-eagarfhocal léargas dúinn ar mheon an té a scríobh:

Tá tráth na Nollag buailte linn, Nollaig an Iontais, nuair a tháinig Naíonán neamhurchóideach ar an saol le fórsaí an dorchadais a chloí, agus leis an domhan a shlánú ó smacht an pheaca. . .

Féile na mbronntanas is ea í freisin, ag comóradh grá Dé a thug a Aonmhac don domhan an chéad Oíche Nollag. Is dual, mar sin, go dtugtar bronntanais. Ach faoi mar is eol daoibh, tá páistí bochta ann ná faigheann bronntanas riamh.

Cosúil leis na páistí bochta um Nollaig, bíonn Éire ag súil le bronntanais óna clann, bronntanais i bhfoirm dílseachta. An bhfaigheann sí iad ? An gcuimhníonn aoinne ar Éirinn le linn na Nollag ? Tá sí bocht, amhail na páistí a théann gan bhronntanas. Is minic gan sólás í. Mar sin, a Ghiollaí, um Nollaig, cuimhnígí uirthi.

Nach n-iarrfaidh sibh ar Iósaf, treoraí an Teaghlaigh
Naofa, Éire a threorú as an tsáinn ina bhfuil sí faoi
láthair ? Nach n-iarrfaidh sibh ar Mhuire an Mhainséir
a brat a chur timpeall na hÉireann á cosaint ar fhuacht
is ar chrua-chroíocht an Ghalldachais agus na Nua-
phágánachta mar a chaomhnaigh sí Íosagán ar mhí-
bhuíochas an duine ? Nach n-iarrfaidh sibh ar Íosagán,
Naíonán na Nollag, gile a ghrásta a scaipeadh tríd an
dorchadas a luíonn ar Éirinn ?

Mar sin, feasta, a Ghiollaí, agus sibh ar bhur nglúine
gach maidin is gach oíche, abraigí paidir bheag ar son
na hÉireann. Bíodh sin mar bhronntanas Nollag ó
gach Giolla !

Mí Feabhra 1952 a tháinig an uimhir dheireanach den
Ghiolla amach agus, faoi mar a bheifeá ag súil leis, uimhir
in onóir do Bhríd Naofa a bhí inti. Ar na rudaí ba
shuntasaí a bhí inti bhí achoimre ar *Íosagán*, scéal an
Phiarsaigh, agus é léirithe go healaíonta le pictiúir a rinne
Seán.

Is sa pháipéar beag seo, *An Giolla*, a chéadtaispeáin
Seán na buanna a bhí aige le léaráidí a dhéanamh. Ag
feabhsú agus ag dul in aibíocht a bhí na buanna sin le
himeacht na mblianta. Bhí ' gaois ina mhéara,' agus is
cinnte go raibh féith láidir ann, féith ná facthas a bláth
iomlán riamh.

VII

SA BHLIAIN 1950 bhí Seán gníomhach ina lán eagraíocht-aí—na Seadairí, na Giollaí, an Réalt, Conradh na Gaeilge agus san FCÁ. An 3ú Samhain tugadh coimisiún dó mar Dhara Leifteanant, agus ón lá sin amach go dtí gur fhág sé an Fórsa i 1955 bhí sé ina cheannasaí buíne sa 49ú Cathlán. Níor dhearmad sé cúis na Gaeilge le linn dó bheith ag cleachtadh saighdiúireachta. Mí Mheán Fómhair 1951 bhunaigh sé gasra speisialta san Fhórsa do Ghaeilgeoirí, an chéad cheann dá leithéid i gCúige Mumhan. Ní eol d'aon duine iomlán a shaothair sna blianta sin, ná sna blianta a bhí fágtha aige, nuair a bhí a chroí ar lasadh le díograis agus le dílse d'Éirinn agus don Ghaeilge. Ach b'éachtach an saothar é, agus níl amhras ná go mbíodh an choinneal airneáin ar lasadh de shíor sa seomra sin i 47 Sráid Anraí, mar nach bhféadfaí an méid a dhéanadh Seán a dhéanamh ó am éirithe go gnáth-am luí.

Aimsir na Cásca 1951 bhí sé i láthair ag Ardfheis Chonradh na Gaeilge, agus thairg sé, thar ceann Chraobh Luimní, an rún seo:

> Gur fuath linne, Craobh Luimní, aon fhoilseachán faoi chúrsaí Gaelachais a bheith á fhoilsiú i dteanga na nGall faoi anáil Chonradh na Gaeilge.

In aghaidh *Eagar*, páipéar dhátheangach a chuir an Conradh ar fáil an bhliain roimhe sin, a cuireadh isteach an rún seo ó Chraobh Luimní. D'ainneoin a láidre is a dhíograisí a labhair Seán ina fhabhar níor glacadh leis an rún. B'é tuairim na hArdfheise go raibh gá fós le Béarla a úsáid i mbolscaireacht ar son na Gaeilge. Is ag Ardfheis na bliana roimhe sin, 1950, a moladh go mbunófaí *Eagar*, agus go luath ina dhiaidh sin foilsíodh i *Scéala Éireann* litir oscailte ó Sheán chun an Chonartha:

> . . . Dar liom, tá sibh ag iarraidh freastal ar an dá thrá agus an modh oibre náireach dhátheangach sin agaibh. Nach eol daoibh nach féidir le haoinne bheith ina Thadhg an dá Thaobh sa choimhlint idir Gaelachas agus Galldachas atá ar siúl anois. . . Cáinim an rún sin a moladh le haghaidh na hArdfheise mar is ionann é agus comhréiteach agus céim ar gcúl.

Ní fhulaingeodh Seán dhátheangachas in aon chor: ní bheadh sé sásta go dtabharfaí aitheantas dá laghad don Bhéarla in Éirinn. Uair amháin, ag cruinniú de Choiste Chontae Luimní de Chonradh na Gaeilge, mhol duine éigin go gcuirfí ar chlár an Fheis Chontae comórtas do bhailéid agus amhráin náisiúnta as Béarla. Labhair Seán go tréan i gcoinne an mholta, ach cuireadh an comórtas ar an gclár agus fágadh ann é ar feadh a sé nó a seacht de bhlianta.

Bhí cáil á tuilleamh anois ag Seán Sabhat ina chathair dhúchais mar dhíograiseoir i gcúis na Gaeilge, agus is ag méadú agus ag leathnú a bheadh an cháil sin feasta, cé nach raibh aon duine ann is lú a shantaigh cáil ná é. Ach bhí a lán daoine fós i gcathair Luimní i 1951 nach raibh aithne acu air. Mí Dheireadh Fómhair na bliana sin thug an Ridire Séarlas Petrie léacht sa chathair ar Phádraig Sáirséal, agus foilsíodh litir mar gheall ar an léacht ar

Threoraí Luimní an 23ú Deireadh Fómhair. Mhol scríbh-
neoir na litreach an léachtóir, fuair locht ar roinnt rudaí
a bhí ráite aige, agus dúirt gurbh ionadh leis a laghad
cainteoirí a labhair i ndiaidh na léachta. Ach:

> Let me praise the solitary Gaelic speaker—a tall fair
> young man—whose theme was that Sarsfield was a
> nationalist, who served neither King nor Kaiser but
> Ireland. This offset in my mind the archaic ' British
> Isles ' which could have been put in Sir Charles's list
> of obsolete words.

Cé gur fionn in áit rua a tugadh air ba é Seán Sabhat
an cainteoir aonair Gaeilge sin.

Mí na Samhna 1951 a tháinig an chéad uimhir den
Ghiolla amach. Ach bhí Seán i mbun scríbhneoireachta
eile seachas an *Giolla* an bhliain sin 1951. Ó mhí Eanáir
na bliana sin scríobh sé alt seachtainiúil Gaeilge, *As Gach
Aird*, faoin ainm cleite ' An Seabhac Siúlach,' don
Limerick Weekly Echo, agus lean sé de ar feadh roinnt
míonna. Ailt bheaga shuimiúla a bhí iontu faoi ábhair
éagsúla—imeachtaí Gaeilge sa chathair, na nuachtáin
Ghallda, cúrsaí airgeadais, leabhair Ghaeilge nuafhoilsithe
agus mar sin de.

Sa chéad alt a bhí aige sa *Weekly Echo* (6ú Eanáir 1951),
dhein Seán tagairt do chomhagallamh a bhí in Amharc-
lann an Gheata i mBaile Átha Cliath an 23ú Nollaig 1950
ar an ábhar ' The Future of the Irish Theatre ? ' ' Mar is
gnách,' a dúirt sé, ' seinneadh na seanphoirt, ach bhí port
éagsúil ag an Athair mac Aodha. . .'

Ní raibh Seán riamh rócheanúil ar Yeats ná Synge ná
Ó Cathasaigh, agus is féidir a bheith deimhin de gur

réitigh sé leis an uile fhocal dár chan an Dochtúir mac
Aodha, C.SS.R., san alt a scríobh sé in eagrán Eanáir-
Feabhra 1951 den *Redemptorist Record*. Is san alt sin a bhí
an 'port éagsúil' ag an Dochtúir mac Aodha, port a
thaitin chomh mór sin le Seán gur aistrigh sé roinnt de
go Gaeilge agus chuir isteach ina cholún féin é:

> Chuaigh an Piarsach agus Synge go dtí an tIarthar.
> Chonaic an Piarsach Críost ag treabhadh na dtonn is ag
> taisteal na mbóithre i gConnachta. Bhuail an Piarsach
> le Críost sna teaghlaigh bhochta uirísle agus i súile
> neamh-urchóideacha na bpáistí. Ní fhaca Synge ach bás
> is anfa ar fharraigí Árann. . .
>   An áit (na slumanna) a bhfaca Maitiú Talbóid Críost
> Céasta ní fhaca Ó Cathasaigh ach 'roaring farce and
> drab tragedy.'

B'iad sin focail an Dochtúra mhic Aodha, aistrithe go
Gaeilge ag Seán. Seo mar chuir sé deireadh le halt na
seachtaine sin sa *Weekly Echo* : ' De réir gach dealraimh,
tá triall na drámaíochta in Éirinn chomh héiginnte le
treoir ár dtaoiseach náisiúnta.'

Ar bhealach eile, a dúirt sé sa *Weekly Echo* an 3ú Feabhra
1951, ní cúis iontais an mhíthuiscint atá ar thíortha thar
lear mar gheall ar chaimiléireacht na Críochdheighilte
agus, mar sin, is ar éigean is cuí locht a fháil ar a muintir.
Mísheasmhacht na nGael féin faoi ndear é sin. Féach
eachtra na coicíse seo caite. Caitheadh pléascán in
aghaidh áras Thaidhleoir Shasana, ach níor caitheadh na
nuachtáin Ghallda in aghaidh a gcuid foilsitheoirí. Tá
torthaí na hOllainne á mbaghcatáil ach níl aon bhaghcat
ar na páipéir atá timpeall ar ár milseáin agus ár gcuid
ime, páipéir a allmhairítear ón Ísiltír. Idir phléascáin
agus pháipéir, agus chaint ar thír a bhualadh ina ' pride,

prestige and pocket '[1] is deacair nithe a mheas.

Mí an Mhárta 1951 bhí an méid seo le rá aige:

Éachtach an aidiacht is fearr a oireann don tinreamh ag an gComaoineach Naofa Ghinearálta de Chomhbhráith-reachas an Teaghlaigh Naofa (Roinn Mhíchíl Naofa). 2,351 fear a bhí i láthair—*record*, fiú sa Chomhbhráith-reachas is mó sa domhan. Bhí meántinreamh 1,500 ar Aifreann gach maidin. Cúis mhórtais do Luimneach is d'Ord an tSlánaitheora Ró-Naofa é, agus ábhar dóchais dúinn go léir sna laethanta ábharaíocha seo.

Léirigh na hailt seo sa *Limerick Weekly Echo* aigne Sheáin i leith a chreidimh, a thíre is a theanga. Agus bhí sé lándáiríre faoi gach focal a scríobh sé.

Ag cruinniú den Réalt mí Feabhra 1952 a chéad-chasadh ar a chéile Seán agus Máire de Paor. Oide scoile ab ea í, cailín suairc gealgháireach. Ní fada gur fhás dlúthchairdeas eatarthu, agus d'fheictí le chéile go minic iad ag imeachtaí Gaelacha istigh sa chathair agus amach an contae.

In earrach na bliana 1952 chuir an Dochtúir Piaras de Hindeberg, C.Í.—mac dearthár don Dochtúir Risteard de Hindeberg—tús le cúrsa ar litríocht na Gaeilge in Áras an Chonartha, 18 Sráid Thomáis, Luimneach, agus bhí Seán ar na daoine ba dhíocasaí a dhein freastal air. Nuair a tháinig an samhradh, d'fhreastail sé cúrsa oiliúna do bhaill an FCÁ i Leacht uí Chonchúir, i gContae an Chláir. I litir a scríobh sé chuig Máire de Paor ón gcampa i Leacht uí Chonchúir an 4ú Lúnasa bhí ar bharr an chéad leathanaigh, san áit a mbíonn seoladh de ghnáth, léaráid

---

[1] Cuid den chaint a dhein an Taoiseach, an tUasal Seán ó Coistealbha, ag an gcruinniú agóide poiblí a tionóladh i mBaile Átha Cliath tar éis achtú an *Ireland Act* i bParlaimint Shasana, Bealtaine 1949.

den champa: na pubaill, na botháin, an brat náisiúnta ar
foluain os cionn an halla cruinnithe, na sléibhte ar chúl,
an fharraige ar chlé, spéir scamallach taobh thiar de na
sléibhte.

> An gcreidfeá, ar sé, nach féidir liom ar ór na cruinne
> gan cuimhneamh ar Bhriogáid na nGael agus mé leis an
> arm ? Tagann mo bhráithre faoi éide le chéile uaireanta
> ag amhránaíocht, agus b'fhéidir braoinín istigh acu, agus
> nuair a fhéachaim orthu, agus iad timpeall an bhoird, is
> siar go dtí na Géanna Fiáine a ritheann mo smaointe.
> Agus táid chomh suimiúil sin, tréithe na gcontaethe
> éagsúla iontu. . .

Ar ndóigh, bhí sé gar do theorainn Chorca Baiscinn,
dúiche na bhfear a thuill buanonóir ag Ramillies agus ag
Fontenoy agus an litir á scríobh aige.

> Tá tobar Bríde cóngarach do Lios Ceannúir, agus is
> gnách le muintir an cheantair oilithreacht bhliantúil a
> dhéanamh go dtí an tobar beannaithe sin. . . Tagann na
> hÁrannaigh isteach ó na hoileáin, agus fanann ann ar
> feadh na hoíche, ag déanamh na stáisiún agus ag aithris
> paidreacha an t-am go léir. Is róbhinn le clos a gcuid
> Gaeilge ach, monuar, i mbliana níor thángadar. An
> imirce ! Dúradh liom go bhfuil gach fear óg, beagnach,
> imithe go Sasana.

I litir eile ón gcampa dhein sé cur síos ar rásaí capall ar
an trá. Scaoileadh saor na baill den FCÁ a bhí sa champa
chun go mbeadh ar a gcumas freastal ar na rásaí. Ní
dheachaigh Seán ann, ach bhain sé an-taitneamh as na
post-mortems a bhí ann tar éis filleadh abhaile dá chom-
rádaithe an oíche sin. ' De réir dealraimh,' a dúirt sé,
' ní rófhoirfe an córas geall-ghlacadóireachta a bhí ann

mar nárbh fhios do mhórán taobh amuigh de na marc-
aigh ainmneacha na gcapall.' Ach bhí capall amháin ann
agus ' ba Rí i gcomparáid le Bodach an Chóta Lachna é ó
thaobh feabhais agus féachana agus iompair de.' Chuir
an lucht gill a gcuid airgid go léir air. Ach má dhein,
cad a dhein an capall cumasach seo ach imeacht glan ó
smacht an mharcaigh agus an ráschúrsa a fhágáil ar fad !

Níorbh é seo an chéad uair a scríobh Seán mar gheall
ar lucht geall a chur. Am éigin, a ceathair nó a cúig de
bhlianta roimhe sin, sula raibh droim láimhe tugtha aige
leis an mBéarla, cheap sé giota véarsaíochta ar ar thug
sé *The Song of a Turf Addict* :

> *If I had money I'd whistle and sing,*
> *And I'd back all the horses that sure were to win,*
> *I'd put on my shirt on the one that was best,*
> *And I'd even go so far as to put on my vest.*
>
> *I'd go to the races in weather good and bad,*
> *In sunshine, in hailstones, in rain or in snow,*
> *And though my friends might all think me quite mad,*
> *I'd put all my wages on one horse in the show.*
>
> *And if, perchance, the horse should come first*
> *I'm sure all the bookies I nearly would burst,*
> *And then all my friends would soon change their tune—*
> *And we'd drink off the takings in the smoky bar-room.*
>
> *But, alas, there's no use building castles in the air*
> *When threepence for a ' Woodbine ' I barely can spare,*
> *But some day hereafter my luck will come yet,*
> *And then I'll be able to lay on that bet.*

Ach má bhí scéal greannmhar le haithris ag Seán sa
litir sin ón gcampa bhí scéal dubhach aige leis. A lán

d'oifigigh an FCÁ a bhí ag freastal ar an gcúrsa, chuir a
ndearcadh ar staid na tíre brón agus faitíos air. Daoine,
mórchuid acu—

> a bhí páirteach, ar bhealach éigin, i gcúrsaí náisiúnta,
> táid tite in umar an éadóchais. Tá sé go holc: ach tá sé
> fíor. Go dtí an bhliain seo ní raibh sé le tabhairt faoi
> deara chomh soiléir . . . na daoine atá i gceist agam táid
> cosúil le Maolmhuire ó Cuagáin in *Uaigheanna Chill
> Moirne*, an Fínín a ghéill don éadóchas de dheasca dí-
> mheas a mhuintire air féin agus ar íobairtí na gluais-
> eachta ar bhain sé léi tráth agus a thréig an náisiúntacht
> faoi bhriseadh croí. . .

VIII

BA LÉIR go raibh athrú éigin ag teacht ar dhearcadh Sheáin Sabhat ó 1952 nó 1953 amach. Roimhe sin, chomh fada agus is féidir a dhéanamh amach, ní raibh aon smaoineamh aige ar chúrsaí míleata, taobh amuigh den FCÁ. Ar chúrsaí na Gaeilge is mó a bhíodh sé ag caint is ag smaoineamh an uair sin. Ach anois bhí sé ag éirí míshásta. Ag Fleá na Mumhan, i Halla Eoin Naofa, i gcathair Luimní, an 14ú Feabhra 1953, labhair sé le Mícheál mac Cárthaigh—a bhí ina dhiaidh sin ina Uachtarán ar Chonradh na Gaeilge—mar gheall ar fhuarchúis an phobail i gcoitinne d'ainneoin sháriarrachtaí agus éachtaí an dreama bhig dhílis; labhair sé ar mheath an náisiúin; ar an imirce; ar chruachás na Gaeltachta; ar an aighneas agus ar an bhformad a bhí róchoitianta i nDáil Éireann.

Chuir sé Éire na linne sin i gcomparáid leis an Éire a shamhlaigh an Canónach ó Síocháin i roinnt dá scríbhinní; agus an Éire a shamhlaigh an Monsignor Robert Hugh Benson: oileán sítheach beannaithe, foinse chumhachta na Críostaíochta; tír na mainistreacha is na gcoláistí ag síorchur misinéirí amach go ceithre haird an domhain, agus an domhan págánach ag iompú ar thaobh Chríost—agus é sin ar fad, nach mór, trí iarrachtaí agus shaothar na nGael. Bhí sé beagnach cinnte anois, dúirt sé, go raibh gá le 1916 eile chun anam na hÉireann a shábháil.

Dúirt sé le Mícheál an oíche sin go raibh sé ag smaoineamh ar bheartas éigin, agus nuair a bheadh sé ullamh lena

88

dhéanamh go n-inseodh sé dó cad a bhí ann. Ní bhfuair
Mícheál amach riamh cad é an gníomh a bhí ar intinn aige.

Ach, a deir sé i litir chuig an údar, ní dóigh liom go
raibh sé ag smaoineamh an uair sin ar an IRA. Measaim
gur rud éigin eile a d'oibreodh sé amach dó féin a bhí i
gceist, ach thuigeas uaidh go mbeadh íobairt ag roinnt
leis. Fuaireas litir uaidh um Nollaig ina dhiaidh sin
agus dúirt sé ná raibh dearmad déanta aige den chomhrá
a bhí eadrainn. Táim nach mór deimhnitheach nach dul
sna hÓglaigh a bhí i gceist aige.

Tamall ina dhiaidh sin thug Máire de Paor faoi deara
go mbíodh leabhráin a chuireadh an tIRA amach á léamh
aige, agus go raibh sé soiléir go raibh sé ag déanamh
machnaimh ar a mbíodh sna foilseacháin sin. Labhair sé
uair amháin léi mar gheall ar an bparáid a dhéantaí gach
Cáisc go dtí Plásóg na bPoblachtach i Reilig San Labhrás
i Luimneach. I gcónaí sula scaoiltí an rois os cionn na
n-uaigheanna d'imíodh lucht Shinn Féin: dúirt Seán léi ná
bíodh a fhios aige féin cad ba chóir dó a dhéanamh—
fanacht go dtí an deireadh, nó imeacht le lucht Shinn Féin.
Ach, de réir dealraimh, ní raibh sé sásta ar fad le Sinn Féin
mar pháirtí polaitíochta; agus is cinnte gur lú ná sin a
bheadh sé sásta leo dá mairfeadh sé go dtí Olltoghchán
1957, nuair a cuireadh in iúl ina gcuid fógraí go rabhdar
i bhfabhar dhátheangachais in Éirinn. Is i ngéag eile den
ghluaiseacht Phoblachtach a bhí suim ag Seán, an ghéag
mhíleata: ní raibh ann fós, áfach, ach suim, mar nach
raibh a aigne déanta suas aige faoin mbealach a rachadh sé.

Ar an 5ú Lúnasa 1953 ceapadh é ina leifteanant san
FCÁ. Le tamall anuas bhí sé éirithe as a bheith ag freastal
ar chruinnithe de na cumainn a raibh baint aige leo—ach
amháin cruinnithe na Réalta, eagraíocht a raibh an-

mhuinín aige aisti. Dhealródh an scéal go raibh a bhreith-
iúnas déanta aige ar na gluaiseachtaí seo a mbíodh sé
páirteach iontu roimhe sin: gur mhaith iad, ach ná raibh
freagairt riachtanas na huaire iontu. Ach má d'éirigh sé
as cruinnithe a fhreastal níor stad sé riamh de bheith ag
saothrú ar son na hÉireann is na Gaeilge, ach é i gcónaí ag
scríobh, ag déanamh líníochta, ag spreagadh is ag gríosú
cách trína dhea-shampla féin, agus ag síorstaidéar chun
go mb'fhearr an treoir a d'fhéadfadh sé a thabhairt.

Mí na Samhna 1953, thosaigh sé ar léaráidí a dhéanamh
do *Rosc*, iris Dháil na Mumhan de Chonradh na Gaeilge,
agus lean sé á ndéanamh go dtí Samhain 1956; foilsíodh
an ceann deireanach uaidh Nollaig na bliana sin. An
23ú Samhain 1953 bhí cruinniú ag an bPraesidium de
Léigiún Mhuire a bhí i mbun Réalt Luimní. Bhí Seán ina
Uachtarán ar an bPraesidium sin, agus ba mhór é iontas
a chomh-Léigiúnaithe nuair a d'fhógair sé go raibh sé
chun éirí as an bPraesidium, ' tar éis mórán machnaimh a
dhéanamh ar an scéal.' Dúirt sé níos déanaí le cara leis:
' Is féidir le heagraíocht dul fad áirithe ach ní féidir léi
dul níos faide ná sin.' Ní fhacthas ag aon chruinniú den
Réalt ina dhiaidh sin é, ach bhí spéis aige sa Réalt fad a
mhair sé, agus ba mhinic é ag cur a tuairisce.

Thug an Dochtúir de Hindeberg—a bhí i mbun an
chúrsa Gaeilge a d'fhreastail Seán i 1952—cuireadh dó
teacht chuige go gcabhródh sé leis feabhas a chur ar a
chuid Gaeilge. Seo an freagra a chuir Seán chuige, an
8ú Feabhra 1954:

> Ba mhian liom go mór, mar a dúras leat cheana, mo
> chuid Gaeilge a fheabhsú, ach, dá mhéid an fonn,
> d'fhanfainn i m'aineolas go ceann tamaill eile sula
> nglacfainn le do chuireadh fial. Tá a fhios agam go

bhfuilir thar a bheith gnóthach cheana féin, agus gur
beag am atá le spáráil agat. Mar sin, is oth liom—cé go
mba mhaith liom, mar is eol duit, a Dhochtúir—nach
mór dom diúltú do do chuireadh dul chugat anois is
arís. Gabhaim pardún, ach níl mé toilteanach chor ar
bith a bheith ag brú isteach ort mar sin. San am
céanna—go raibh míle maith agat.

Is léiriú eile ar charachtar Sheáin an litir sin. Ní raibh
aon teorainn leis an méid a dhéanfadh sé don chomharsa.
Agus ní rithfeadh sé choíche leis go mbeifí ag lorg an
iomarca air. Ach níor mhaith leis dua dá laghad a chur
ar aon duine ar a shon féin. Níor dhein an Dochtúir de
Hindeberg ach nóta beag a bhreacadh ag bun litir Sheáin
agus í a chur ar ais chuige:

Do Sheán Sabhat : Cé nach maith liom é a rá, is iontach
an méid caint chraiceáilte a d'éirigh leat a scríobh ar an
leathanach beag seo.

Dá bhrí sin, muran amhlaidh gur tú féin atá róghnó-
thach, déan mar a dúirt mé sa chárta cheana leat: tar i
leith anseo le do leathanach nó dhó agus le do cheist-
eanna ar bith eile. Ní gá ach timpeall ceathrú uaire
d'aon suíochán .i. sitting nó cuairt. Agus nuair ná beadh
an t-am agamsa ní olc an fear mé chun é sin a rá
cuíosach plánáilte. Sin sin !

Mí Lúnasa 1954 a leag Seán cos den chéad uair ar
thalamh n a Gaeltachta, nuair a chuaigh sé ar saoire go Tír
Chonaill. Thug sé a rothar leis, agus campa. Ó cheantar
na Carraige sheol sé an chéad cheann de thrí litir chuig
Máire de Paor. Ar bharr an chéad leathanaigh bhí pictiúr dá
champa, agus an dáta, ' An lá roimh an lá i ndiaidh
inniu.'

Maidir leis an gceantar seo, a dúirt sé, ní féidir liom mórán a rá fós, mar nár thaisteal mé fós é, ach ní dhéanfad dearmad den chéad radharc a fuair mé den Charraig. Bhíos tar éis dreapadóireacht suas cnoc—ceann den mhíle go leith ceann atá anseo—agus ar shroichint an bhairr dom bhreathnaíos timpeall agus cad a bhí ann ach Shangri-la ! I gcónaí bhí pictiúr de Thír Chonaill greamaithe i m'aigne ó leabhair Shéamais mhic Mhaghnuis agus dánta Eithne ní Chairbre . . . agus caithfidh mé a rá go rabhas sásta leis an méid a chonac. Bhí cosúlacht ghleanna ar an limistéar tíre agus abhainn ag gluaiseacht tríd. . . . D'fhéach gach ní—nó b'fhacthas dom, mar a deirtear—chomh síochánta : botháin aoldaite agus díonta ar dhath na cruithneachta ; corrfhear ag obair ar a shói móinéar ; naomhóga ina luí go leisciúil ar an trá ; tithe spréite go healaíonta, dar leat, síos suas na cnoic ; agus, ar a gcúl ar fad—mar a bheadh seanseadaire d'fharaire, go dubhach dubh, ag síneadh suas suas sa spéir—Sliabh Liag ina sheasamh go díreach, dhá mhíle troigh, beagnach, os cionn na farraige.

Ba chóir go mbeadh alt uaim ar *Rosc* na míosa seo—ní fhacas fós é—ar luach an phuint sterling etc. Táim idir dhá chomhairle anois an gcuirfidh mé in iúl do mo léitheoirí go nglacaim siar gach rud atá scríofa agam tar éis a bhfuaireas i siopa anseo inné (an Domhnach) ! Ar 12s. fuaireas stán mór torthaí ; pota suibhe ; dhá oráiste ; stán bainne (cé nach dtaitníonn sé seo rómhór liom, ach dúradh liom nach mbíonn gnáthbhainne le fáil ach acu siúd a mbíonn buanordú bliana in áirithe acu—ar chuala tú riamh a leithéid !) ; císte—'Rolla Eilvéiseach' ; ceithre bhuidéal mianraí ; píóg úll ; dhá choinneal.

I gceann roinnt laethanta sheol sé an dara litir. Bhí an litir seo maisithe le ceithre cinn déag de léaráidí : *Nuair a*

An Carraig — Tír Conaill.

Mí na Samhna.

A Mháire, a grá,

Ar ais arís an bhfuil tú i gcás... an ... a bhí an botún ... an scompa dom ... ag ... — go ... bheas! Tá ... na róga ... agus ... h-... bhuin an t-áthar a ... ré orm i dtráth. Tá mór... agus bh... an ... an ... tú a bhí ... ag an ... a ... agus a ... .

Ar ais ... a ... go ... Tír Conaill ... bheidh ann le ... le ... dé, is mór ... bheidh ann gan tú. Tá an ... do dhul ... agus — ... na ... is na ... le ... ní ... a gháirí a ... . Ní h-... ... Séamus Mac Maighir ar a ... féin tú agus na ... i ... in Aimearica.

Cad ... a ... ?

Cuir mé na ... le ... síor ... a ... mo ... a bhí líon i muire

Nach do ... muintir
Carraig i dtosach mé!

chonaic muintir na Carraige i dtosach mé ; Mo bhróga anois ;
Má athraíonn an ghaoth ; Ní thuigeann siad mo chuid Gaeilge ;
Nuair a chloiseann an Sagart Paróiste go bhfuil cumannaí sa
cheantar ; Nuair a dhéanaim mo chuid siopadóireachta ar
an taobh eile den tsráid ; Nuair a cheistím buachaillín ; etc.

Ag trácht ar Ghleann Cholm Cille, a bhí in aice láimhe,
ar sé:

Bhí a fhios ag Naomh Colm Cille cad a bhí á dhéanamh
aige nuair a thogh sé an gleann seo. . . Ar mo shlí go dtí
an Gleann chuireas ceisteanna ar gach aoinne a casadh
orm an rabhas ag dul sa treo ceart. B'aoibhinn bheith
ag éisteacht lena gcuid Gaeilge, go háirithe leis na
páistí . . . bhíos sa Ghleann ar an gCéadaoin, agus
dhreap mé Sliabh Liag an lá roimhe sin. An rud is
iontaí a fhéadfainn a rá faoi—gur fhill mé ! Pádraig,
Colm Cille, Caoimhín, Fionnbharra—ní dóigh liom gur
trí thionóisc a thoghdar uile sléibhte, mar tá sé cinnte
nach féidir le duine bheith scartha níos mó ón domhan
in áit ar bith eile ná ar bharr sléibhe. . . Dá bhfeicfeá an
méid a chonaic mo shúile, siar go dtí bun na spéire !
Ach is fearr bheith ag caint mar gheall air—beimid ag
caint air.

Bhí cúpla eachtra shuimiúla le haithris aige sa litir:

Agus mé in oifig an phoist an lá faoi dheireadh chualas—
den chéad uair riamh—naíonán, bliain nó mar sin d'aois,
ag labhairt lena mháthair i nGaeilge. Theastaigh uaim
cromadh síos chuige ar leathghlúin agus a rá leis: ' Cad
is ainm duit ? ' agus b'fhéidir, freisin, raiméis éigin a
labhairt leis faoi na mílte daoine sa tír a thabharfadh a
lámh dheas ar a bheith cosúil leis. Ach níor dhein.
I bhfíorthraidisiún na nGall d'fhan mé fuaránta os
comhair an phobail is smachtaíos mo ghliondar.

F

Casadh Gall amháin air i dTír Chonaill a thaitin leis:

Oíche eile fós agus mé ag siúl i gcoinne cnoic ar an mbóthar chuala mé na coiscéimeanna tapaidh ag teacht suas liom; agus, ansin, bheannaigh an fear dom. Dúirt sé—agus níl a fhios agam ó thalamh an domhain cén fáth—go bhfaca sé mé cúpla uair i rith na seachtaine agus gur theastaigh uaidh labhairt liom. Shiúlamar níos maille (go dtí gurbh ionann dúinn is a bheith inár seasamh, beagnach!), agus tar éis tamaill bhí a lán ráite aige. Thaitin a shúile liom, agus a shiúl. Sasanach a bhí ann, file, mar d'aithris sé cuid dá shaothar, agus bhí sé go han-mhaith.

De réir a chéile d'éirigh an chaint níos ginearálta; ar bhua na tairngreachta, a bhí aige go measartha; ar a theaghlach féin i ngleann i Sasana. Bhí sé an-chaoin ar fad, an-chineálta, cosúil le duine a bheadh ag tóraíocht ní éigin diamhair nach raibh teacht chomh furasta sin air, agus cuma chiúin áthasach air an t-am go léir. Is maith leis Da Vinci. Agus bhí *The Four Glorious Years* léite aige.

Roinnt de na heachtraí a bhain dó ar a shlí abhaile ó Thír Chonaill a bhí sa tríú litir:

'Do chaith mé oíche faoi scáth an tsléibhe úd Beann Gulban,' ar seisean, agus d'inis sé conas mar shocraigh sé an campa i gcomhair na hoíche, agus faoin lucht féachana a tháinig ina thimpeall:

Bhí triúr páiste ann i dtosach, ar sé, agus nuair a chuala-dar an Ghaeilge uaim leath an scéal, is cosúil, mar níorbh fhada go raibh, gan aon bhréag, suas le tríocha i láthair. Chuireas an duine seo faoi dhéin bainne, duine eile faoi dhéin líomanáide, agus mar sin de. Timpeall 10.30 p.m. a tharla sé seo agus ar a haon déag bhí na deirfiúracha agus na deartháireacha móra ann chun fear fiáin na

Gaeilge a fheiceáil. Níor éirigh leis na tuismitheoirí, ach
oiread, a bhfiosracht a cheansú, mar bhí leathdhosaen
díobh ann nuair a bhíos ag ullmhú chun codlata. . . Mo
náir gur cúis alltachta, beagnach daichead bliain tar éis
1916, an duine a labhraíonn Gaeilge.

B'shin oíche Shathairn. Ag taisteal a chaith sé an Domh-
nach. Maidin Dé Luain dhreap sé Cruach Phádraig.
Shroich sé Conamara Dé Máirt:

Tháinig mothú aoibhnis agus suaimhnis orm is mé ag
teacht tríd an dúiche seo. Dúirt mé a raibh le rá agam,
nach mór, faoi Thír Chonaill; ach anseo—cheap mé go
raibh aithne agam ar gach aoinne ann, agus eolas ar gach
áit. An ghaoth, fiú, a bhí lom i mo choinne ó d'fhágas
Sligeach, bhí sí ar mo chúl. Ach ní féidir liom an mothú
a léiriú—b'fhéidir go dtuigeann tú féin é.

Ag deireadh na litreach deir sé gur 'ar chrinlín i seomra
i dTeach an Phiarsaigh, Ros Muc,' a scríobhadh í.

Ní éireoidh go brách le haon duine a thomhas méid an
mheasa a bhí ag Seán ar an bPiarsach, an té ab uaisle dar
leis agus ab ardaigeanta de laochra Gael ar fad, agus níl
amhras ná gur corraíodh go mór é an lá Lúnasa úd i 1954
nuair a fuair sé an chéad radharc ar Theach an Phiarsaigh
ar a ardán sléibhe os cionn Loch Eireamhlach, san áit a
mbíodh Eoinín na nÉan ag feitheamh le teacht na
bhfáinleog. Fiú sula bhfaca sé í agus, go cinnte, d'éis a
feiceála ba í seo an dúiche ab ansa leis de dhúichí uile na
hÉireann, dúiche an Phiarsaigh, dúiche na Gaeilge is na
gcloch is na ndeora Dé,[1]

Tír dheas na meala nach bhfuair Galla inti réim go fóill.

---

[1] An t-ainm atá ag Gaeilgeoirí in áiteanna ar an siogairlín.

I gceann de na litreacha ó Thír Chonaill thagair Seán
d'alt ar an bpunt sterling a bheadh aige ar *Rosc* na míosa
sin. B'é sin an chéad alt de shraith deich n-alt ar chúrsaí
airgeadais a scríobh sé faoi ainmneacha cleite éagsúla,
Toistiún, Crosóg, Cíosóg, agus a foilsíodh ar *Rosc* idir
Lúnasa 1954 agus Eanáir 1956. Is soiléir go raibh staidéar
cuíosach domhain déanta aige ar an ábhar seo, agus
roinnt mhaith léite aige mar gheall air. Ar na leabhair
ar dhein sé tagairt dóibh sna hailt bhí: *The Rôle of Money,*
F. Soddy; *Why Not End Poverty* ?, Fr. F. H. Drinkwater;
Introduction to Finance, Berthon Waters; *Hidden Govern-
ment,* Creagh Scott; *I Can't Understand Finance,* the Duke of
Bedford; *How Money is Managed,* Paul Einzig; *Money
Manipulation and Social Order,* Fr. Denis Fahy, C.S.Sp.
Agus ba mhinic athfhriotal aige as scríbhinní Bhelloc agus
Chesterton ar chúrsaí cráite seo an airgeadais.

A lán de na tráchtais ar chúrsaí airgeadais táid fíor-
dhoiléir de dheasca téarmaíochta seanchaite casta. Sa
chéad alt, ' Caimiléireacht na Baincéireachta,' a bhí i
Rosc Lúnasa 1954, mheabhraigh Seán dá léitheoirí an rud
a dúirt an tOllamh Soddy faoi úsáid an bhéarlagair seo i
dtráchtais ar airgeadas do na gnáthdhaoine: ' It is not
intended that they should understand it.' Dhein Seán
deimhin de go dtuigfeadh gach duine cad a bhí le rá
aige féin.

Sa chéad alt cháin sé tuarascáil Bhanc Ceannais na
hÉireann a eisíodh i 1951:

B'fhéidir gur cuimhin leat, ar sé leis an léitheoir, an
rúille búille a bhí ann ar feadh tamaill faoi Thuarascáil
Bhliantúil Bhanc Ceannais na hÉireann (1951), nuair
a dhein stiúrthóirí an Bhainc iarracht ar iad féin a
chosaint mar gheall ar an eiteachas a thugadar do Bhardas

Átha Cliath, a bhí ag iarraidh airgead a fháil le scéim
thógáil tithe a chur chun cinn. Agus an chomhairle
dhána a thug an Banc do Rialtas na hÉireann—' gur
riachtanaí cosaint an airgead reatha ná aon ní eile '—
agus sin d'ainneoin slumanna agus tionóntáin na príomh-
chathrach a bheith ag cuidiú le leathnú na heitinne, agus
le nithe níos measa fós. Nuair a léigh tú an tuarascáil
b'fhéidir gur tháinig fiosracht ort faoi cad é an t-údarás
a bhí leis an gcomhairle sin. Geallaimse duit gur madra
é sin nach cóir a fhágáil ina shuan ! Ní fhéadfadh an
Banc an iasacht a thabhairt—an le heagla roimh chumh-
achtaí airgid i dtíortha saibhre taobh amuigh d'Éirinn,
cumhachtaí a bhfuil greim acu ar sparán na tíre seo ? An
raibh níos mó ná an t-aon cheangal i gceist ag Tone
céad go leith bliain ó shin ?

Ba rud scannalach uafásach leis an scrios a dhéantar,
uaireanta, ar bhia agus torthaí—caife na Brasaíle, cuir i
gcás—d'fhonn praghsanna na n-earraí sin a choimeád ar
leibhéal áirithe ar mhargaí an domhain. Agus ba bheag
a mheas ar ' scéim úd an mheon sclábhaí—an " Dole,"'
a mhill ' fir a bheadh iontu féin ionraic macánta.'

Cé mhéad, n'fheadar, a d'fhiafraigh sé, den 375 a chaith
a nguthanna ar son an Chumannaí i mBaile Átha Cliath
an mhí seo caite a brostaíodh chun na díth céille sin
toisc go raibh a gcroíthe céasta ag smaoineamh ar conas
a gheobhaidís

> *Work for my idle sons,*
> *Food for my little ones. . . ?*

Tá cruthaitheoirí eile seachas Dia ann, más ait, a dúirt
sé sa dara halt. Féach ar na bainc. Iarrann an Rialtas
£20,000,000 ar an mbanc. Faigheann an Rialtas é. Ní
raibh an t-airgead sa bhanc roimh an Rialtas é iarraidh.
Mar sin, cad as a dtáinig sé ? Cruthaíodh é ! Chruth-
aigh an banc é.

Agus mar fhianaise air sin bhí aige focail údarásacha an *Encyclopædia Britannica* :

Banks lend money by creating credit. They create the means for payment out of nothing.

Níor aontaigh Seán leis an tuairim go rabhamar saor—

Fiú sa chuid seo den tír . . . is í an fhírinne go bhfuil ceangal na gcúig gcaol ar Éirinn . . . go bhfuil ár rialtóirí ciontach sa díth céille a fhágann, trín Acht Airgeadais 1927 agus Acht an Bhanc Ceannais 1942, Éire faoi chumhacht Shasana. . .

Agus, ar sé, toisc go bhfuil greim iomlán ag Gaill ar sparán Gael níl airgead le fáil chun na mílte Éireannach atá gan obair a fhostú; níl airgead ann chun monarchana a bhunú ná chun scéimeanna forbartha náisiúnta a chur i gcrích a thabharfadh deis do mhuintir na hÉireann fanacht sa bhaile agus a slí bheatha a dhéanamh amach dóibh féin ina dtír féin. . .

Tá sé mínádúrtha, mímhorálta agus in aghaidh dlí Dé go mbeadh buncheart an duine chun a bheatha a thuilleamh le hallas a éadain á dhiúltú do na mílte gan áireamh in Éirinn. . .

I *Rosc* Mheán Fómhair 1955 d'inis Seán conas mar bunaíodh Banc Shasana; agus conas mar a cuireadh tús le Státfhiacha na Breataine, agus conas mar chuadar i méid riamh agus choíche ó shin. Anuas go dtí Samhain 1955 is ag áireamh na lochtanna a fuair sé ar chóras airgeadais na hÉireann a bhí sé; ach sna hailt dheireanacha chuir sé os comhair an phobail a mholtaí féin chun an scéal a leigheas, moltaí a bhí, a dúirt sé, bunaithe ar thuairimí a nochtadh tamall roimhe sin ag an Athair Donncha ó Fathaigh, C.S.Sp.:

1 Éirí as an ór a bheith ina mheán malairte intíre.
2 Cead dlíthairiscint a eisiúint a bheith ag an Stát amháin.
3 An dlíthairiscint seo a thabhairt ar iasacht do chumainn bhaincéireachta faoi chairt rialtais.
4 An praghasleibhéal a chobhsú.

Bhí na hailt seo go léir ar chúrsaí airgeadais a scríobh Seán idir Lúnasa 1954 agus Nollaig 1955 gairid, rud nach raibh neart aige air, mar nach raibh an t-am ná an spás aige chun na pointí éagsúla ar thagair sé dóibh a leathnú amach agus a fhorbairt i gceart. An spéis a bhí aige san ábhar seo níorbh í spéis phatuar lucht an acadaimh ná an chumann díospóireachta riamh í. Scrúdaigh sé córas seo an airgeadais chomh hiomlán agus chomh mion agus ab fhéidir leis, ag iarraidh teacht ar fhios fátha dhrochstaid a thíre; á fhiafraí de féin cén fáth go mba chóir an rud seo a bheith mar seo, nó conas a fhéadfaí an rud eile a leigheas. Bhí grá daingean buan aige do mhuintir na hÉireann, fir agus mná agus páistí. San alt deireanach dhein sé comparáid idir Karl Marx, a thug ar na gnáthdhaoine ' These stupid asses . . . a mere rabble . . . toads . . . scum,' agus an Piarsach, a dúirt, trí bhéal Mhac Dara:

The people, Maoileachlainn, the dumb, suffering people: reviled and outcast, yet pure and splendid and faithful. In them I saw, or seemed to see again, the face of God.

Faoi mar a chonaic an Piarsach na daoine a chonaic Seán iad, trí shúile Mhac Dara, Fear na nAmhrán.

IX

DAR LE SEÁN, ní daorchuing amháin a bhí ar Éirinn ach trí cinn díobh: cuing na polaitíochta; cuing an Bhéarla agus an mheoin Ghallda; cuing an airgeadais nó an gheilleagair. Comhartha sofheicthe ar an gcéad chuing ab ea an Chríochdheighilt.

> An uair sin (1954-5), a deir Máire de Paor, bhímis ag caint faoin gCríochdheighilt. . . Bhíodh argóintí againn faoi fheidhm a bhaint as forneart lena réiteach. Oíche amháin dúrt leis gurbh é an rud a chuirfeadh as dom ná bheith ciontach i mbás duine agus gan a fhios agam cén staid ina raibh a anam. Dhein sé gáire, agus séard a dúirt sé: 'Ní dhéanfadh sé cúis fealsamh mar thusa a bheith ar pháirc an chatha.' Bhíodh sé ag cur is ag cúiteamh an tráth sin faoin IRA ach, go fírinneach, níor cheap mé riamh go nglacfadh sé páirt ann.

Dealraíonn an scéal gur chaith sé tamall maith ag cur agus ag cúiteamh sular thóg sé an chéim mhór dheireanach ina shaolré ghníomhach ghairid. Ag athoscailt Halla Íde Naofa de Chonradh na Gaeilge i gcathair Luimní, an 19ú Feabhra 1955, bhí comhrá eile aige—comhrá gairid an turas seo—le Mícheál mac Cárthaigh, an duine úd ar labhair sé leis i dtaobh chinniúint ghlórmhar na hÉireann ag Fleá na Mumhan dhá bhliain roimhe sin. Dúirt sé leis anois, a deir Mícheál mac Cárthaigh i litir chuig an údar, go raibh sé ag cuimhneamh ar dhul san IRA. Ar an 22ú Aibreán d'éirigh sé as an FCÁ. Bhí a aigne déanta suas aige faoi dheireadh.

Chuaigh sé isteach san IRA, Arm Phoblacht na hÉireann, arm rúnda ar chosúil é i slí leis na Tóraithe, nó na *Rapparees*, a bhí ann tar éis Chonradh Luimní. Blianta bheadh an t-arm seo an-ghníomhach, blianta eile dar leat ag lagú, ach mhaíodar féin go rabhdar ar bhuanstaid chogaidh i gcoinne Shasana. An chogaíocht an t-aon mhodh éifeachtach dar lena gceannairí chun saoirse iomlán a fháil d'Éirinn. Ba mhodh dleathach leo an chogaíocht seo. D'éilíodar ná rabhdar ach ag cosaint na Poblachta sin a d'fhógair an Piarsach Luan Cásca 1916, agus ar ghlac muintir na hÉireann léi ag Olltoghchán 1918. Níor díbhunaíodh an Phoblacht sin riamh, agus an té a ghlac le rialtas ar bith eile seachas rialtas Phoblacht na hÉireann Uile, nó a thug aitheantas dó, tréatúir don Phoblacht a bhí ann. Chaithfí leanúint den troid go mbainfí an bua agus go ruaigfí fórsaí forghabhála Shasana glan amach as Éirinn. An mhóid dílseachta a tugadh don Phoblacht i 1918 bhí daoine ann nár shéan í riamh. Is ón dream beag dílis sin a fuarthas an ceart leanúint den chogaíocht. B'shin creideamh agus teagasc an IRA. Fiú tar éis dó an tIRA a fhágáil le linn an dara Cogadh Domhanda, bhí Tarlach ó hUid toilteanach a admháil go raibh ' loighic bhuile áirithe san argóint sin ' (*Ar Thóir Mo Shealbha*, Foilseacháin Náisiúnta Teoranta, 1960, lch. 195).

Eagraíochtaí láidre, a raibh tacaíocht fhormhór mhuintir na hÉireann acu, ab ea an tIRA bunaidh agus Sinn Féin, an ghéag pholaitiúil, i 1920 agus 1921; ach scoilteadh iad ó bhun go barr leis an gConradh agus leis an gCogadh Cathartha a lean é. An tArm Náisiúnta, nó Arm an tSaorstáit, a tugadh feasta orthu siúd a thaobhaigh le Mícheál ó Coileáin agus Art ó Gríofa agus Liam mac

Coscair, agus a bhí ag cosaint an tSaorstáit nua faoi arm agus éide. Lean an chuid a chloígh le hÉamon de Valéra agus Cathal Brugha agus Abhaistín de Staic de bheith ag tabhairt an tIRA orthu féin; na h*Irregulars* a thug lucht an tSaorstáit orthu seo.

I 1922 d'fhógair Ruairí ó Conchúir, fear ceannais an díorma den IRA a bhí i seilbh na gCeithre Chúirt, nach raibh baint ag an IRA feasta le haon eagraíocht pholaitíochta, ' ach,' ar seisean, ' féadfaidh mé a rá, má chinneann an t-arm riamh ar threoraí polaitíochta a leanúint is é an tUasal de Valéra an fear sin.' Mar sin, is mar shaighdiúir in Arm na Poblachta a ghlac an tIRA le De Valéra nuair a cuireadh tús leis an gCogadh Cathartha le buamáil na gCeithre Chúirt an 28ú Meitheamh 1922. Scar an ghéag mhíleata agus an ghéag pholaitiúil den ghluaiseacht phoblachtach óna chéile sa tslí sin uair nó dhó.

I bhfómhar na bliana 1922 mhol De Valéra do Choiste Gnótha Arm na Poblachta iarraidh ar theachtaí Poblachtacha na Dála rialtas a bhunú agus Comhairle Stáit a cheapadh a ghníomhódh go mbeadh ar chumas Pharlaimint thofa na Poblachta teacht le chéile gan bac gan cur isteach. Ghlac Coiste Gnótha an airm leis an moladh seo, ar choinníollacha áirithe, agus chuaigh Liam ó Loingsigh, an Ceann Foirne, go Baile Átha Cliath chun a chur in iúl do De Valéra go raibh na saighdiúirí sásta aithint a thabhairt dó mar Uachtarán ar an bPoblacht agus mar Phríomh-Fheidhmeannach ar an Stát.

An 25ú Deireadh Fómhair 1922 chruinnigh na Teachtaí Poblachtacha i mBaile Átha Cliath, agus mhaígh gurbh iad na teachtaí a d'fhan dílis don Phoblacht agus do mhóid na Poblachta ionadaithe an Dara Dáil agus gur díobh siúd a bhí an Dáil sin comhdhéanta. D'iarradar ar De

Valéra an Uachtaránacht a ghlacadh athuair. Rinne sé amhlaidh, agus d'fhógair tionól nua, Comhairle na dTeachtaí, a bheith ann.

Leanadh den Chogadh Cathartha, ach faoi earrach na bliana 1923 ba léir go raibh an cluiche caillte ag Arm na Poblachta agus go raibh an lá ag fórsaí Rialtas Sealadach an tSaorstáit. Maraíodh Liam ó Loingsigh an 10ú Aibreán 1923; agus an 26ú Aibreán chuir a chomharba, Proinsias mac Aogáin, in iúl d'Uachtarán na Poblachta go raibh Arm na Poblachta tar éis a shocrú d'aonghuth go lorgóidís coinníollacha síochána ó Rialtas an tSaorstáit, agus go n-éireoidís as an gcogadh an 30ú Aibreán. Ach faoi seo bhí an naimhdeas imithe ón gcnámh go dtí an smior, agus ón smior go dtí an smúsach, agus is beag aird a thug Rialtas an tSaorstáit ar an tairiscint; ach, mar sin féin, d'éirigh Arm na Poblachta as an gcogaíocht ar an sprioclá. Toisc nach nglacfadh an Rialtas le haon choinníollacha uathu, áfach, chomhairligh Proinsias mac Aogáin dá chuid fear gan scaradh lena gcuid gunnaí ach iad a chur i dtaisce—agus gan aon choinne aige go mbeadh sé féin ag iarraidh taibhse na comhairle sin a chur faoi chónaí lá ab fhaide anonn. Bhí an Cogadh Cathartha thart; ach b'fhada go ndéanfaí dearmad ar an seirfean agus ar an bhfuath a d'éirigh as an gcogadh sin, ná ar an bhfuil a doirteadh lena linn.

Tar éis dhá bhliain d'éadóchas agus de bhaic de gach aon saghas—obair ceilte orthu go minic nuair nach bhféadfaidís a chruthú gur thugadar seirbhís san Arm Náisiúnta—thosaigh an tIRA ag éirí mífhoighneach leis an easumhlaíocht shíochánta a bhí á cleachtadh acu. An 24ú Samhain 1925 shocraigh na ceannairí ar scaradh go hiomlán le haon smacht polaitiúil; agus, ag an am céanna, fógraíodh go foirmiúil nach raibh an t-arm sásta dílseacht a thabhairt feasta d'Éamon de Valéra mar Uachtarán na Poblachta.

Go luath i 1926 thug De Valéra le fios go raibh ar intinn aige dul isteach sa Dáil Reachtais, dá bhféadfaí sin a dhéanamh gan an mhóid dílseachta do Rí Shasana a thabhairt. ' Measaim,' a dúirt sé, ' nuair a bhíonn cuspóir romhat gur cóir duit iarracht a dhéanamh chun an cuspóir sin a bhaint amach.' Bhí sé ag súil go mbeadh tacaíocht Shinn Féin, a raibh sé ina Uachtarán air riamh ó 1917, aige san iarracht a bhí beartaithe. Pléadh an cheist ag Ardfheis speisialta de Shinn Féin. Ar na daoine a chuidigh le De Valéra bhí an Chuntaois Markievicz, Proinsias mac Aogáin, Seán Lemass, Gearóid ó Beoláin agus Pádraig Ruitléis. Chuir Máire nic Shuibhne, Abhaistín de Staic agus an tAthair Mícheál ó Flannagáin go láidir ina aghaidh, agus buadh ar mholadh De Valéra le 223 vóta i gcoinne 218. D'éirigh De Valéra as Uachtaránacht na Poblachta i láthair Chomhairle na dTeachtaí; ar mholadh Abhaistín de Staic glacadh leis an tairiscint. Bhunaigh De Valéra Fianna Fáil i mí na Bealtaine 1926. Scoilteadh Sinn Féin agus an tIRA den dara huair, agus scoilteadh Comhairle na dTeachtaí leis. Ba bheag a bhí fágtha den IRA agus de Shinn Féin tar éis easaontas na mblianta ó 1921 anuas.

Chuaigh an tIRA faoi thalamh, ach d'éirigh leis a scair féin d'earcaigh a fháil bliain i ndiaidh bliana, fir óga thírghrácha a thug cluas do ghlao an dúchais, fir óga mheanmnacha nach raibh sásta go mbeadh:

> . . . *an cúigiú cuid*
> *Den tír seo na hÉireann*
> *Fé mheirge Shasana.*

I ndeireadh na bhfichidí chuaigh an tIRA i mbun gnímh arís, agus i 1930 agus i 1931 tugadh roinnt amas ar bheairicí póilíní sna Sé Chontae Fichead d'fhonn airm thine a fháil. I mí an Mhárta 1931 lámhachadh an Ceannfort mac Curtáin den Gharda Síochána, ag geata a thí féin i gContae Thiobraid Árann; agus i mí Iúil 1931 sa chontae céanna lámhachadh Seán ó Riain, tar éis a chur ina leith go raibh sé ina bhrathadóir. Rith rialtas Mhic Choscair an Public Safety Act, agus cuireadh ceannairí na heagraíochta i bpríosún. Ach De Valéra a bhí i gceannas an Rialtais tar éis Olltoghchán 1932 agus scaoileadh saor iad de réir mar a gealladh roimh an toghchán. Ach roimh dheireadh na bliana sin bhí Proinsias ó Riain agus beirt dheartháir de mhuintir Ghilmore, triúr de na daoine ba mhó le rá san IRA ag an am, ar ais i bpríosún—ag rialtas Fhianna Fáil an turas seo.

Bhí Olltoghchán eile ann i dtús 1933, agus roimh an toghchán d'eisigh an tIRA manifesto ag iarraidh ar a mbaill tacaíocht a thabhairt d'Fhianna Fáil mar, cé nach raibh aon rómheas acu ar pháirtí De Valéra, níor theastaigh uathu in aon chor go rachadh páirtí Mhic Choscair ar ais ina áit.

Tháinig an tIRA go mór os comhair an phobail arís i 1933 agus 1934 nuair ba mhinic iad féin agus Léinte Gorma Uí Dhufaigh ag leadradh a chéile ag cruinnithe agus paráidí. Ach ní le beannacht an ardcheannais a ghlac na baill páirt san fheachtas seo, mar chonacthais don ardcheannas nach raibh ann ach mearú a bhí á mealladh ón bpríomhchuspóir. Na Léinte Gorma a thug an pobal ar an eagraíocht fhaisistíoch gona cuid léinte agus bairéad—oighre an Airm Bháin, alias an tACA—a bhunaigh Eoin ó Dufaigh, iar-Choimisinéir ar an nGarda

Síochána. Mí an Mhárta 1934 ritheadh an Wearing of Uniforms (Restriction) Act d'fhonn cosc a chur le himeachtaí na Léinte Gorma. Tháinig na Léinte Gorma, agus d'imigh siad: ach d'fhan an tIRA ann i gcónaí.

Ag 25ú Ardfheis Shinn Féin, Deireadh Fómhair 1934, buadh ar mholadh ó Mháire nic Shuibhne agus ó Bhrian ó hUiginn ná beadh sé de chead ag aon duine a bhí ag fáil tuarastail nó pinsin ó Rialtas an tSaorstáit a bheith ar Bhord Oifigeach na heagraíochta ná ar an gCoiste Seasmhach. D'éirigh an bheirt as an eagraíocht dá bharr.

Is ar an Athair ó Flannagáin, Uachtarán Shinn Féin, a bhí rún Mháire nic Shuibhne agus Bhriain uí Uiginn dírithe. Bhí seisean ag obair an uair úd do Choimisiún na Lámhscríbhinní, ag cur eagair ar litreacha suirbhéireachta Sheáin uí Dhonnabháin. Ach ní fada eile a bhí sé ina bhall de Shinn Féin. Mí Eanáir 1936 díbríodh as an eagraíocht é i ngeall ar bheith páirteach 'i gcraoladh de chuid an tSaorstáit' in éineacht le Piaras Béaslaí, Seán T. ó Ceallaigh agus daoine eile. Clár i gcuimhne chruinniú tionscnaimh Dháil Éireann a bhí i gceist.

Bhí trioblóid dá chuid féin ag an IRA, leis, sna blianta sin. Thug Mícheál Praigheas, Peadar ó Domhnaill, Proinsias ó Riain, George Gilmore agus roinnt daoine eile a bhí san IRA cuireadh do bhaill den IRA agus do dhaoine eile a bheith i láthair ag Comhdháil Phoblachtach i mBaile Átha Luain i mí Aibreáin 1934. Shéan Ardcheannas an IRA aon bhaint a bheith acu féin leis an gComhdháil, briseadh Mícheál Praigheas as a phost mar Cheannfort-Ghinearál, agus Peadar ó Domhnaill as a phost mar Oifigeach Foirne, agus cuireadh an bheirt chun siúil.

Cúpla uair tháinig cumannaithe aduaidh ó Bhéal

Feirste chun páirt a ghlacadh sa chomóradh bliantúil a
bhíodh ag an IRA ag uaigh Wolfe Tone i mBaile
Buadáin. Ní ligfí dóibh siúl faoi mheirge dá gcuid féin,
ach faoi bhrat trídhathach na Poblachta amháin. Foilsíodh
an fógra seo sa *Phoblacht* den 16ú Meitheamh 1934:

> No banners or slogans may be carried and no literature
> of any kind may be sold during the Commemoration at
> Bodenstown on June 17, without the permission of the
> National Secretary.

Bhí an tIRA gnóthach arís i 1935 agus 1936, agus idir
sin agus tús an dara Cogadh Mór chuaigh sé i mbun
roinnt feachtas éagsúil, cuid acu a raibh rian an réabhlóidí
ghairmiúil orthu. An 20ú Feabhra 1935 fuair Richard
More O'Ferrall bás de dheasca goin a d'fhulaing sé nuair
a caitheadh leis, breis agus seachtain roimhe sin, oíche
ar thug fir armtha ruaig ar theach a athar. I mí an Mhárta
1936 lámhachadh an Leas-Aimiréal Somerville i
gCorcaigh, toisc é bheith ag mealladh ógánaigh chun
liostáil i gCabhlach Shasana; agus an 26ú Aibreán 1936
lámhachadh Seán mac Aogáin ar thaobh sráide i nDún
Garbháin, i leith is gur bhrathadóir é. Fógraíodh an
tIRA a bheith ina eagraíocht neamhdhleathach; agus i mí
na Bealtaine gabhadh Muiris ó Tuama, an Ceann Foirne.
Tomás de Barra, laoch Chrois an Bharraigh, a toghadh
ina áit.

I Meán Fómhair na bliana sin 1936 fuarthas an príosún-
ach Poblachtach Seán mag Fhloinn marbh ina chillín i
bpríosún Chnoc an Arbhair, rud a chuir tús le conspóid
fhíochmhar mar gheall ar na rialacha a bhí i bhfeidhm sa
charcair sin, ina raibh suas le trí scór ball den IRA á
gcoimeád. Toirmisceadh na paráidí cuimhneacháin a bhí

ceaptha ag an IRA do Dhomhnach Cásca 1937. Roimh dheireadh na bliana sin d'fhág Tomás de Barra an eagraíocht. Seán Ruiséil a ceapadh chun áit Thomáis a thógáil mar Cheann Foirne.

Tá tagairt déanta cheana don scoilt a tharlaíodh ó am go ham idir an ghéag mhíleata agus an ghéag pholaitiúil den ghluaiseacht phoblachtach. Is í an fhadhb a bhíodh le réiteach ar na hócáidí sin an mbeadh smacht ag Comhairle na dTeachtaí Poblachtacha ar an Arm. Ó Dheireadh Fómhair 1922 go dtí Nollaig 1938 bhí an tArm in ainm a bheith faoi smacht Chomhairle na dTeachtaí, nó an Dara Dáil, faoi mar a thug na Teachtaí sin orthu féin. Ach an 8ú Nollaig 1938 eisíodh fógra in ainm Dháil Éireann inar tugadh le fios go raibh Ardchomhairle Dháil Éireann ag tiomnú a n-údaráis do Chomhairle Arm na Poblachta. In alt tosaigh an fhógra dúradh:

> De bhrí go ndearna Arm Shacsan Poblacht Éireann d'ionsaí agus d'athionsaí agus go ndearna mórchuid de theachtaibh an phobail a tréigean ó deineadh Forógra na Poblachta um Cháisc a 1916 do dheimhniú ag tionól tosnaithe Dála Éireann trí bliana dá éis, deinimidne trén scríbhinn seo an t-údarás a tugadh dúinn do chur fé bhráid Chomhairle an Airm mar is dual dúinn de réir mar d'ordaigh Dáil Éireann um Earrach a 1921, is mar d'ordaigh an Dara Dáil i dtráth.

Seachtar a chuir a n-ainmneacha leis an bhfógra: Seán ua Ceallaigh, Ceann Comhairle; Seoirse Noble Cunta ua Pluingcéid; Brian ó hUiginn; Cathal ó Murchadha; Máire nic Shuibhne; Uilliam F. P. Stoclaigh; Tomás mag Guidhir.

Nuair a bhí an dara Cogadh Domhanda á thuar níor dhearmad an tIRA an sean-nath *Cruachás Shasana faill*

na hÉireann, agus an 12ú Eanáir 1939 se oladh ' Fógra Deiridh ' chuig an Viscount Halifax, Rúnaí Coigríche na Breataine, ag éileamh ar an mBreatain a cuid fórsaí armtha go léir a thógáil amach as gach cuid d'Éirinn; fágadh ceithre lá ag an Rúnaí Coigríche chun a intinn a chur in iúl. Pádraig Pléimeann (Rúnaí) a shínigh an Fógra Deiridh, ' thar ceann an Rialtais agus Arm-chomhairle Óglaigh na hÉireann.' An 15ú Eanáir d'eisigh an tIRA fógra fáin ar Ghallaibh as Éirinn. Seisear a chuir a n-ainmneacha leis seo: Stiofán ó hAodha, Pádraig Pléimeann, Peadar ó Flatharta, Seoirse Pluing-céid, Labhrás ó Gruagáin agus Seán Ruiséil. Lá eisithe an fhorógra tharla seacht bpléasc in áiteanna éagsúla i Sasana. Bhí tús curtha le feachtas nua—feachtas buamála agus loitiméireachta i Sasana.

' Plean S ' a tugadh ar an bhfeachtas seo agus bhí an-mhuinín ag Seán Ruiséil as. ' Facthas don Ruiséalach, agus dá chomhairleoirí, gur mar sin ab fhearr a mhúscló-faí spéis phobal Shasana i gcríochdheighilt na hÉireann,' a deir Seosamh ó Duibhginn (*Ag Scaoileadh Sceoil*, an Clóchomhar, 1962, lch. 11). Fairis sin, a deir sé (lch. 11), chuala sé an Ruiséalach ag rá nár theastaigh uaidh go ndéanfadh an tIRA aon troid in Éirinn féin, mar nach mbeadh de thoradh air ' ach dochar agus damáiste dár muintir agus dár dtír féin.' Ghabh Seosamh ó Duibhginn féin páirt san fheachtas seo, agus tá an méid seo le rá aige (lch. 10) i dtaobh an chomhairle a tugadh dóibh roimh ré: ' Fuaireamar treoir chinnte ó Sheán Ruiséil féin bheith de shíor san airdeall ar fhaitíos go maródh pléasc aon duine.' Ach, d'ainneoin sin, maraíodh seachtar Sasanach trí thionóisc le linn an fheachtais, agus gortaíodh breis agus trí scór eile. An 7ú Feabhra 1940 crochadh Séamas

G

mac Cormaic agus Peadar ó Bearáin in éiric bhás na
ndaoine a maraíodh nuair a pléascadh buama i gcroílár
Choventry i mí Lúnasa 1939.

Luan Cásca 1939 chuaigh Seán Ruiséil go Meiriceá,
agus d'fhág Stiofán ó hAodha ag gníomhú ina áit mar
Cheann Foirne. Bhí sé fós sna Stáit Aontaithe nuair a
thosaigh an dara Cogadh Domhanda, i dtús Mheán
Fómhair 1939. A thúisce a tháinig an cogadh gabhadh a
lán ball den IRA abhus; ach scaoileadh saor iad roimh
dheireadh na bliana de bharr breithiúnais a thug an
Ardchúirt i dtaobh dhlíthiúlacht an ordú faoinar cuireadh
i mbraighdeanas iad. Ar éigean saor iad nuair a tugadh
fogha faoi Armlann an Stáit i bPáirc an Fhionnuisce.
B'é freagra an Rialtais ar an mbeart seo Reacht Práinne a
rith agus na céadta ball den ghluaiseacht a ghabháil agus
a choimeád i gcampa géibhinn go deireadh an Chogaidh.

Sna Stáit Aontaithe dhein Seán Ruiséil teagmháil leis
na Gearmánaigh ag iarraidh comhghuaillithe ón Mór-
roinn do chúis na hÉireann, faoi mar dhein fir Éireann i
ngach glúin a chuaigh roimhe. Tugadh chun na Gear-
máine é. Bhí seanchara agus seanchomrádaí leis san IRA
roimhe, Proinsias ó Riain. Bhí Proinsias ag troid sa
Bhriogáid Idirnáisiúnta i gcoinne Franco le linn an
chogaidh chathartha sa Spáinn, agus tar éis an chogaidh
sin ghearr Rialtas Franco téarma fada príosúnachta air,
ach saoradh é trí idirghabháil na Gearmáine. Thaobh-
aigh an tIRA le Rialtas na Spáinne sa chogadh cathartha,
cé gur fhág sin é ag cabhrú le cúis a raibh an eaglais
Chaitliceach ina coinne. I 1940 thug an Rianach agus
an Ruiséalach aghaidh ar Éirinn i bhfomhuireán Gear-
mánach, ach sular bhaineadar amach cuan agus caladh
fuair Seán Ruiséil bás, de dheasca othrais duadaínigh, agus

adhlacadh faoi thoinn é tamall gairid amach ó chósta
Iarthar na hÉireann. D'fhill an fomhuireán ar an
nGearmáin gan Proinsias ó Riain a chur i dtír. Bhí an
tsláinte ag goilliúint ar Phroinsias leis faoi seo, agus fuair
sé bás i nDresden sula raibh an Cogadh Domhanda thart.

Ba dhéine an choimhlint idir an Rialtas agus an tIRA
le linn an dara Cogadh Domhanda ná aon uair ón
gCogadh Cathartha anuas. Maraíodh baill den Gharda
Síochána i mbruíon ghunnaí. Daoradh agus básaíodh
baill den IRA, agus fuair beirt acu, Antóin Dairsigh agus
Seán mac Conghaola, bás ar stailc ocrais. Ina theannta
sin bhí a thrioblóidí príobháideacha féin arís aige. An
30ú Iúl 1941 ghabh sé Stiofán ó hAodha, a bhí ag gníomhú
mar Cheann Foirne air, chuir ina leith gur bhrathadóir a
bhí ann, agus chuir iachall air ' faoistin ' a scríobh. An
8ú Meán Fómhair d'éirigh le Ó hAodha éalú as an teach
ina raibh sé ina phríosúnach, agus ba scéal mór sna
nuachtáin tuairisc na heachtra.

Chuir scéal Stiofáin uí Aodha mearbhall ar roinnt
mhaith ball den IRA gur éiríodar as an eagraíocht. Deir
Tarlach ó hUid (*Ar Thóir mo Shealbha*, lch. 152) gur éirigh
sé féin as agus beagnach gach óglach eile dá raibh faoi
ghlas i bPríosún Dhoire an uair úd. Agus Seán mac Giolla
Bhríde, a raibh gradam tábhachtach aige san IRA roinnt
bheag blianta roimhe sin, bhí sé anois ag impí ar cheann-
airí na heagraíochta gan leanúint d'úsáid an fhornirt in
Éirinn.

Nuair a bhí deireadh leis an gCogadh scaoileadh saor
na príosúnaigh pholaitíochta; ach ní túisce saor iad ná
feachtas liostála ar siúl ag an IRA. Gabhadh roinnt de na
ceannairí athuair.

Bhí saol corraithe ag an IRA ó 1923 anuas, agus is iomaí

athrú meoin a léirítear ina chuid teagaisc agus gníomhar-
tha, de réir mar d'fhág na daoine éagsúla a raibh baint
acu lena stiúradh rian a ndearcadh féin a bheag nó a
mhór air. An 5ú Deireadh Fómhair 1946, nuair nach
raibh Clann na Poblachta i bhfad ar an saol, tionóladh
comhdháil de Chumann Saortha na bPríosúnach Pob-
lachtach i mBaile Átha Cliath, agus cáineadh go trom
' an nuapháirtí bréige poblachtach seo, Clann na Pob-
lachta,' a bhí ullamh ' to accept as right and just the
capitalist system under which the nation bleeds and rots.'
Lagaíodh an tIRA nuair a chuaigh Seán mac Giolla Bríde,
Bean Abhaistín de Staic, Seán mac Cumhaill, Con ó
Liatháin agus daoine eile le Clann na Poblachta; ach
ghlac sé neart chuige féin arís nuair a fuair Seán mac
Eachaidh, Ardaidiúnach na heagraíochta, bás ar stailc
ocrais, Bealtaine 1946.

Is mar sin a bhí an scéal ag an IRA. Tamall is ar éigean
a bheadh corraí as agus ansin bheadh sé i mbun feachtais
nua eile, agus an forneart mar uirlis, mar aonuirlis aige.
Sa chogaíocht a bhí a dhóchas go léir. Mar sin, cogaíocht
a chleachtaíodh sé; cogaíocht gan stad gan staonadh,
uaireanta gan trua gan taise; cogaíocht ar chosúla í go
minic le feachtas dinimíte na bhFíníní ná cogaíocht
eadarnaíoch an IRA i 1920 agus 1921.

Tosaíodh ar fheachtais nua míleata sna caogaidí. Ba
léir go raibh sé ina rún ag ardcheannas na heagraíochta an
uair seo gan aon chur isteach a dhéanamh ar údaráis na
Sé Chontae Fichead. Dhíríodar a n-aire ar fad ar na Sé
Chontae, agus is iomaí amas dána a thug baill na
heagraíochta ar bheairicí na bhfórsaí Gallda i gcaitheamh
na mblianta sin. Gabhdar roinnt gunnaí agus armlóin
nuair a d'ionsaíodar Beairic Ebrington i nDoire, an

6ú Meitheamh 1951; agus dheineadar éacht ag Beairic
Gough in Ard Macha iarnóin an tSathairn an 13ú Meith-
eamh 1954, nuair a thógadar lán leoraí de ghunnaí agus
d'armlón amach as. An 17ú Deireadh Fómhair, an bhliain
chéanna, throideadar go calma i gcoinne an gharastúin
Ghallda i mBeairic na Royal Inniskilling Fusiliers san
Ómaigh.

An saghas seo cogaíochta a d'fhear an tIRA sna caogaidí
chorraigh sí gnáthmhuintir na hÉireann agus chothaigh
bá iontu leis na fir óga a ghlac páirt inti. Agus mheall sí
tuilleadh fir óga, a raibh dearcadh náisiúnta acu, i leith
an IRA, i dtreo gur tháinig fás mór ar bhallraíocht na
heagraíochta i mbeagán aimsire. Is treise dúchas ná
oiliúint.

X

BA É DÚCHAS NA NGAEL RIAMH troid i gcoinne aon fhórsaí
Gallda a bhí ag coimeád aon chuid dá dtír faoi smacht.
Agus níor thaise dóibh i gcaogaidí na haoise seo. Ar an
taobh eile den scéal, dúirt ceannairí Stáit agus Eaglaise
sna Sé Chontae Fichead nach raibh aon cheart morálta
ag aon arm seachas arm oifigiúil an Stáit cogaíocht a
dhéanamh. Ach bhí sé chontae Éireannacha fós i seilbh
Arm Shasana, agus cé shéanfaidh nach raibh an ceart
ag an bPiarsach faoi uaigheanna na bhFíníní, 'While
Ireland holds these graves, Ireland unfree shall never be
at peace.'

Má bhí an ceart ag an bPiarsach sa mhéid sin, níl le rá
againn ach go raibh sé i ndán d'fhir óga áirithe dul san
IRA, agus go raibh sé i ndán do Sheán Sabhat bheith ina
measc. Chomh luath is a chuaigh sé san IRA, toghadh
ina Oifigeach Oiliúna do cheantar Luimní é. Dhein sé
cúrsa oiliúna leo an bhliain sin—agus bhunaigh sé buíon
do Ghaeilgeoirí ina measc.

An Ghaeilge; an staidéar a dhein sé ar an bPiarsach
agus ar litríocht thírghrách na hÉireann (i nGaeilge agus
i mBéarla), na hamhráin is na haistí is na húrscéalta—
Dia libh a Laochra Gael, *Róisín Dubh*, *The Graves of Kil-
morna*, *Knocknagow*, *Rambles in Eirinn*, *The Four Glorious
Years*, *The Wolfe Tone Annual*, *The Jail Journal*, *The Four
Winds of Eirinn*, etc.: sin iad na nithe a cheangail i
gcomrádaíocht le laochra na nglún roimhe é; a láidrigh é
i dtreo gur thug sé a aghaidh mar a thug siadsan, nuair a

chonaic sé an gá, ar bhóthar na híobartha, bóthar Bhrookeborough ina chás siúd.

Bhí léirmheas le Seán Sabhat i *Rosc* mhí Aibreáin 1955 ar *Bhriseadh na Teorann*, le hEarnán de Blaghd (Sáirséal agus Dill, 1955). Mhol sé an Blaghdach go mór as a shaothar ar son na Gaeilge, ach ní réiteodh sé in aon chor lena thuairimí i dtaobh bhriseadh na Teorann:

> Dar linne, a dúirt sé, seachnaíonn an Blaghdach príomh-fhadhb na Teorann—fadhb a fhéadfaimis a léiriú i bhfocail Shéamais Fhiontain uí Leathlobhair:
> ' In the case of Ireland now there is but one fact to deal with, and one question to be considered. The fact is this—that there are at present in occupation of this country some 40,000 armed men, in the livery and service of England; and the question is—how best to kill and capture those 40,000 men.'
> Ní gá ach mionathrú a dhéanamh ar na figiúirí, arsa sé, cé gur scríobhadh an t-alt céad bliain ó shin. Ní amháin go seachnaíonn an Blaghdach an fíoras atá taobh thiar de na focail sin, ach déarfaimis má bhíonn *Apologia pro Vita Sua* á scríobh ag Seán Buí amach anseo nach fearr rud a dhéanfadh sé ná athfhoilsiú a chur ar chaibidlí áirithe i m*Briseadh na Teorann*, agus beidh a chlú glan ó thaobh a chuid déileála le hÉirinn.

' Tá saothar fadálach romhainn,' a dúirt Earnán de Blaghd i ndeireadh *Bhriseadh na Teorann*,

> Agus do chreidfimis é, a dúirt Seán Sabhat, dá nglacfaí lena chomhairle. Ach, ar sé, táid ann, agus taobh istigh de cheithre bhalla atá cuid acu, agus is clos dóibh comhairle eile ag teacht chucu thar spás na mblianta; duine ina sheasamh ar imeall slua cruinnithe timpeall uagha i nGlas Naíon, agus tá na focail uaidh soiléir:

' You cannot undo the miracles of God, who ripens
in the hearts of young men the seeds sown by the
young men of a former generation.'

Ceann de na rudaí a ghoill go mór ar Sheán an t-ath-
shealbhú a bhí ar siúl ag Gaill ar fud na tíre; iad ag fáil
greim athuair, trí neart airgid, ar thailte na hÉireann,
agus gan aon chur ina choinne sin ag an Rialtas. Mar a
dúirt an Céitinneach fadó:

Is leo gan ghráscar lámh ár ndonna-bhruíne,
Gach fód is fearr dár n-áitibh eochar-aoibhne.

In alt i *Rosc*, Meitheamh 1955, dar theideal ' Éire ar
Crannaibh—an Gall i Réim Arís,' mheabhraigh Seán dá
léitheoirí an eachtra úd ag Liam Bulfin i *Rambles in
Eirinn* ; faoi cé mar tháinig an t-údar go ball álainn cois
Sionainne, agus go ndeachaigh sé isteach de dhroim
bhalla an bhóthair d'ainneoin an fhógra *Trespassers will
be Prosecuted*, agus nuair a bhí sé sínte siar ar an raithneach
ag ligean a scíthe gur éirigh os a chomhair the ' ownagh '
le slat iascaigh agus ciseán, agus d'fhiafraigh: ' What awe
you doing heawh ? ' Bhagair sé an dlí ar Bhulfin, ach
má dhein ba ghairid go bhfuair sé amach go raibh fear a
dhiongbhála aige. ' Oh, go away,' arsa Bulfin leis, ' your
attitude of mind towards first principles needs over-
hauling.'

Is dána an mac, arsa Seán, a thabharfadh a leithéid sin
de fhreagra ar shealbhóirí talún na linne seo in Éirinn,
an Leifteanant-Choirnéal Seo nó an Briogáidire úd.
Is dána an té a dhéanfadh treaspás ar fhearann an Tiarna
(atá tagtha ar ais go hÉirinn go dtí a thailte dúchais, i
gcead duit, chun a chaisleán a mhaisiú i dtreo go
mb'fhusa dó féin agus dá uaisle breathnú ar na mere

Irish ag tarraingt uisce is ag iompar connaidh). Is dána
an Gael a rachadh ag iascaireacht gan cead óna Thiar-
nas ! . . .

Is scannal náisiúnta, gan amhras ar bith, an fhaillí atá á
déanamh ag na ' húdaráis ' trína ligean d'eachtrannaigh
teacht isteach is tailte na tíre a cheannach ar phíosaí
páipéir—rud nár fhéad an Mhaighdean Eilís a dhéanamh
le claíomh nó le dó. Seachtain i ndiaidh seachtaine tá
greim na nGall ar fhearann na Fódhla á dhaingniú—
feirm anseo, caisleán ansiúd, monarcha thall, ' ceart '
iascaireachta abhus. Seachtain i ndiaidh a chéile tá
sealbhóirí Sasanacha ag cur fúthu le hathréim na dtithe
móra a thosú. Níl contae in Éirinn nach bhfuil ' ceann
droichid ' tógtha acu ann; ceantar níl ann nach bhfuil
dulta i dtaithí cheana féin ar bhlas bréagach na gcoimh-
thíoch.

An bhfuil oiread is duine amháin, duine aonraic ion-
raic, an bhfuil oiread is an duine amháin sin i measc
theachtaí tofa uile na tíre a sheasfaidh is a labhróidh in
aghaidh athphlandáil na ' Poblachta ' ?

Ach níl ! Níl ! Is cuma leo ! Ní ligfeadh córas na
bpáirtithe polaitíochta dóibh é a dhéanamh pé scéal é,
fiú dá mb'áil leo é. Rud é an córas Gallda seo nach
gcothaíonn misneach morálta ná macántacht. Agus,
mar sin, *quo vadis ?*

Cad é an leigheas atá ar an náire náisiúnta seo ? An
mbeidh orthu siúd ar ionúin leo tír na hÉireann, agus a
chreideann gur le muintir na hÉireann amháin tír na
hÉireann, an mbeidh orthu siúd, tar éis íobairtí Chogadh
na Talún, dul i muinín chomhairle an Dáibhéadaigh is
Uí Leathlobhair ? An gcaithfidh siad a chur in iúl, gan
aon dá bhrí, go gcreideann siad, faoi mar a chreid
Cromail, gur fiú troid ar son na tíre seo, Éire; a haibh-
neacha, a coillte, a srutháin, a sléibhte, a gleannta, fiú
ar son a muintire ?

Ní gá a rá gur mar dhuine den IRA a thugann Seán an chaint seo uaidh. Caint mhíchuíosach, déarfá. Caint láidir, cinnte. Thug Seadairí na Saoirse aitheantas do 'bhunreacht dleathach na tíre.' An eagraíocht réabhlóideach a raibh Seán ina bhall di anois ní thugann sí an t-aitheantas sin, agus níl ach dímheas ag a comhaltaí ar pholaiteoirí Theach Laighean. Is é creideamh na heagraíochta sin creideamh Sheáin anois agus feasta. Ach ba mhó go mór d'idéalaí ná de réabhlóidí é Seán lá ar bith.

Ag an am seo bhí Seán ag déanamh léaráidí do *Rosc* agus freisin don *Éireannach Aontaithe*. Bhíodh sé gnóthach leis ag teagasc a chomrádaithe in Arm rúnda na Poblachta agus á n-oiliúint in ealaín na saighdiúireachta. Nuair a bhíodh sé amuigh ar na cnoic leo, agus cleachtadh catha nó freachnaimh mhachaire ar siúl acu, mheasadh sé ar uairibh, deireadh sé, gurbh iad óglaigh na mblianta 1920-3 a bhíodh timpeall air; agus uaireanta eile dar leis gurbh iad na Fíníní iad. Bhraith sé ceangal diamhair éigin idir é féin agus comrádaithe seo na bliana 1955-6 agus na fir óga as na glúine rompu, na fir óga a d'imir a n'anam ar son shaoirse na hÉireann.

Chuala sé go raibh gunnán ó aimsir na nDúchrónach i dteach in Oirthear Luimní, agus chuaigh ann á lorg. Dúirt fear an tí leis gur shíl sé ná raibh aon mhaith ann, ach go raibh cead aige é a bhreith leis má cheap sé go mbeadh sé úsáideach dó. 'Tógfad é,' arsa Seán, 'mar go gceapaim go mbeadh áthas orthu siúd a d'iompair é tráth dá mbeadh a fhios acu go rabhthas chun úsáid a bhaint as arís ag díchur Gall as Éirinn.' Ba mhó a d'oibrigh na mairbh ar Sheán ná na beo; agus aon uair a bhí treoir de dhíth air i gcúrsaí náisiúntachta is go dtí an Piarsach thar aon duine eile a chuaigh sé á hiarraidh.

XI

Mí Aibreáin 1956 tháinig an chéad uimhir de *Ghath* amach. Páipéar beag deich leathanach, stionsal-chlóite a bhí ann, agus é léirithe go healaíonta. Soiscéal na Gaeilge agus na saoirse a bhí á chraobhscaoileadh ann, agus 'Eagrán i gcuimhne Laochra na Cásca' a bhí sa chéad eagrán. Cé go raibh ailt le roinnt daoine eile sa chéad uimhir seo de *Ghath* ba é páipéar Sheáin Sabhat go dílis é ó chlúdach go clúdach. Eisean a chéadchuimhnigh ar a leithéid de pháipéar a chur le chéile; eisean a scríobh, nó a bhailigh ó dhaoine eile, gach rud a foilsíodh ann; eisean a dhein na léaráidí uile; a ghearr na stionsail chuige, agus a chuir an bhailchríoch air ina sheomra féin; eisean a d'íoc na costais a bhain leis, agus a scaip é saor in aisce ar Ghaeilgeoirí in a lán áiteanna ar fud na hÉireann. Páipéar beag maisiúil ab ea é; agus tírghráthóir óg a bhí ag ullmhú chun catha a bhí ag labhairt san eagarfhocal:

Anois teacht na Cásca ní thig linn gan smaoineamh ar an mbás agus ar an aiséirí.

BÁS? I rith na bliana seo caite, beagnach daichead bliain tar éis Éirí Amach 1916, d'imir beirt Éireannach a mbeatha ar son a dtíre—duine acu i ngleic le hArm Forghabhála Shasana ar pháirc an chatha, an duine eile agus é ar tí dul i gcomhrac leo.

Tá a fhios againn cá luíonn bás na beirte sin go príomhúil, ach nílimid féin gan ár scair den fhreagracht. Más go rídhaor a cheannaíomar roinnt áirithe céille de thoradh na bhfeachtas atá i gceist againn is amhlaidh is

móide ár ndualgas . . . ár ndícheall a dhéanamh ar son
aontachta. Gan lárcheannasaíocht tá bunphrionsabal
gach cogaidh in easnamh, agus caillfidh an t-arm a
éifeacht in am catha.

Is dóigh linn go bhféadfaí teacht ar leigheas na
deighilte i dtreasanna an Phoblachtais. Dá nglacfaimis
uile le dearcadh *Fhear na Muintire*—Liam ó Maol-
ruanaí—dá nglacfaimis uile lena dhearcadh sin b'fhearrde
an tír é. Ní bheadh áit ann d'aighneas suarach ná do
dhifríocht tuairime i dtaobh príomhphrionsabal. Dá
saothróimis linn gan beann againn ar cá dtéann an
moladh ná an buíochas, fad a dhéanfaí an obair a
bheadh idir lámha . . . do bheadh gach uile dhuine againn
ag cruthú dúinn féin is dár mbráithre gur fiú sinn an
oidhreacht uasal a tháinig chugainn anuas. . . .

AISÉIRÍ? Cheana féin tá na comharthaí ann.
Naonúr déag Gael i gcarcracha Gall trína ngrá dá dtír
dhúchais; parlaimintigh ar an dé deiridh taobh thall den
Teorainn; beo-ghaineamh an chomhréitigh ag slogadh
síos polaiteoirí a thréig a gcéad dhílseacht abhus; macalla
ar chnoic is i ngleannta, agus Gaeil na glúine seo ag
leanúint lorg na bhFíníní. . .

Má tá beochuimhneamh againn ar Laochra na Cásca
b'oiriúnach tráthúil an t-am é beart a dhéanamh de réir
a dteagaisc.

Bhí alt beag suimiúil san uimhir sin de *Ghath* ar
Shéamas ó Conghaile—níorbh é Seán a scríobh é seo.

SÉAMAS Ó CONGHAILE

Meán oíche ar an Déardaoin i mBastille Bhaile Átha
Cliath. Bhí mír eile de dhráma na Cásca ag druidim
chun deiridh. . .

' Hasn't it been a full life, Lillie, and is not this a good
end?' D'fhéach a bhean chróga air agus bhris a croí.
Rith an iníon óg anall chuige agus í ag sileadh deora an

bhróin. . . ' Táim mórálach asat, a Nóra, a chailín,'
a dúirt sé, agus d'fháisc chuige í. Cúpla uair a chloig ina
dhiaidh sin cuireadh é san otharcharr, gur tógadh é go
Cill Maighneann agus gur iompraíodh é go clós an
phríosúin, gur cuireadh i gcathaoir é (' Na fir chróga
uile a chomhlíonann a ndualgais, guífead ar a son '), gur
lámhachadh é.

Bhí an brón, ach cad é mar uaisleacht, cad é mar
mhisneach a bhí i bhfocail dheiridh Shéamais uí Chon-
ghaile. ' A full life.' Thug sé a bhlianta ar son cheart
na mbocht agus na mbrúite. Dá bhrí sin, blianta líonta
de mhaitheas. A chruthú sin anois go raibh fuil a chroí
ag brúchtaíl amach an mhaidin Bhealtaine sin.

Eisean a mheall an dílseacht uafásach as muintir Bhaile
Átha Cliath in éacht 1913 nuair a triaileadh iad ar nós an
chlaímh san fhoirnéis in ullmhú fiúntach do 1916 nuair
' briseadh ór le hiarann '. . .

' Táim mórálach asat.' Agus d'fhéadfadh sé bheith bród-
úil as a theaghlach aontaithe. Níor éalaigh an focal géar
ná an fhearg isteach dá mhéad uair a ionsaigh an dífhost-
aíocht ná céastaíocht eile a mbaile.

'Fad a mhairfead beo beidh mé ag gabháil buíochais le
Dia gur dheonaigh Sé dom a bheith le Séamas ó Con-
ghaile go dtí gur thug sé an t-anam,' a dúirt an tAthair
Alabhaois agus gan ach tamaillín a bheith caite aige in
éineacht leis an laoch.

Luan Cásca. Nuair a léigh an Piarsach Forógra na
Poblachta i bpóirse Ardoifig an Phoist, ghabh Ó Con-
ghaile i leith agus chroith sé lámh leis.

Déanann lucht margaidh é sin nuair a bhíonn an
margadh déanta.

Rinneadar seo é. I bpáirt, mar bhí gach margáil le
Sasana-in-Éirinn briste acu an nóiméad sin. Agus i
bpáirt, mar thaispeáin an nóiméad sin go bhfuil rudaí
ann nach féidir a mhargáil. Agus go bhfuil fir.

Le tamall sular foilsíodh *Gath*, i nGaeilge amháin a bhí
sráidainmneacha chathair Luimní thuas, agus ní róshásta
leis sin a bhí Cumann Lucht Tráchtála Luimní; bhí
tagairt i n*Gath* don mhíshástacht sin:

COMPULSORY IRISH

Thuaidh i Stormont. Tá imní thuaidh i Stormont.
Go speisialta ar Mr. Porter. Imní mar gheall ar an
nGaeilge:
' The Irish language must be excluded from the
educational curriculum. It is a dead language.
We are not going to subsidise disloyalty.'
A bhráithre, tá cead ó Dhia agaibh, b'fhéidir, chun
Gaeilge a labhairt libh féin i bpoll éigin ná cloisfeadh
aoinne sibh. Is peaca in aghaidh na carthanachta í a shá
isteach faoi shrón aon duine. . . Is peaca imní a chur ar
Mr. Porter.
Theas anseo. Tá imní theas anseo i Luimneach. Tá
imní ar Chumann Lucht Tráchtála Luimní roimh an
nGaeilge. Ní gan chúis: i nGaeilge amháin atá sráid-
ainmneacha na cathrach thuas. A bhráithre, ní féidir na
sráidainmneacha sin a chosaint: Gaeilge ' compulsory '
is ea iad; peacúil, compulsory, scannalach. Admhaígí é,
a bhráithre. Ar ndóigh, má thagann an Lady Stunk nó
an Colonel Stink isteach sa chathair nach soiléir é go
gcaithfidh a súile glana na plátaí peacúla seo a fheiceáil ?
Agus deir sibhse go bhfuil creideamh Chríost ionaibh.
Ach ní hé an creideamh amháin. An chiall, freisin, tá
sí i gcoinne na sráidainmneacha. Aoinne a bhfuil aon
chiall aige tá sé ábalta a rá inniu gur bán é seo; agus
amárach, mar an gcéanna, gur dubh. Má chaitheann sé
míniú a thabhairt deireann sé: ' Is bán é from the X point
of view; is dubh purely from the Y point of view.'
Mar shampla. Peaca ab ea é do Hitler dul isteach sa
Bheilg; gníomh diaganta ab ea é do Shasana dul isteach

i dtír na Mau Mau.

Sin í an chiall, an *broadmindedness*.

B'fhéidir go bhfuil an chiall ag an gCumann. Ar aon chuma, deir siad go bhfuil siad i gcoinne na sráidainmneacha ' purely from the business point of view.'

Ach, mo bhrón, b'fhéidir go bhfuil dearmad ar an gCumann. Business tírghrá is ea athbheochan na Gaeilge. Business ó Dhia a baisteadh i bhfuil ghlan. Deir an tírghrá: ' Fanfaidh gach sráidainm thuas.' Agus deir an tírghrá: ' Tá mé ag labhairt " purely from the business point of view." '

Seán féin a scríobh an t-alt ar dhul isteach na hÉireann in Eagraíocht na Náisiún Aontaithe:

Chomh fada agus is eol dúinn ní dhearna ach an t-aon nuachtán Éireannach amháin iarracht mhacánta chun ga éigin a shoilsiú ar an díth céille a sheol Éire isteach in Eagraíocht na Náisiún Aontaithe. Is leasc linn an focal ' caimiléireacht ' a úsáid, cé gurb amhrasach linn a chiúine a glacadh leis an *fait accompli* ag na páirtithe polaitíochta.

Sa chomhluadar idirnáisiúnta osnáisiúnta, a dhiúltaigh d'ainm Dé a bheith in aon chuid dá Chairt ag fógairt shaoirse agus cheart an duine, ní bhlaisfidh Róisín Dubh fíon Spáinneach ar bith. Beidh roimpi, áfach, vodka an Chumannachais, beoir an Ghalldachais, cocktail na nuaphágánachta agus uisce patuar an ábharachais. Ní deochanna iad a ardódh croí na nGael ag lorg sprioc a leasa.

Ní thig leis an toscaireacht Éireannach bheith dóchasach go dtabharfar aird níos mó ar cheist na Teorann seo againne ná mar a tugadh ar an gCóiré, ar an nGearmáin, ar an India. Ní thig leo bheith ag súil go mbeidh cothrom na Féinne le fáil ó scriosadóirí Hiroshima agus Nagasaki, ná ó dhúnmharfóirí Katyn, ná uathu sin a rinne talamh dóite den tír taobh thuaidh is taobh theas de ' Líne Dhomhanleithid 38.' Is saonta an toscaireacht a shílfeadh go mbainfí saoirse na hÉireann amach i bhfóram ENA.

Thug scríbhneoir gan ainm an sainmhíniú seo ar Éirí Amach na Cásca:

CAD AB EA 1916 ?

Cad ab ea 1916 ?—Obair na bhFíníní, obair Uí Chonghaile ? Ach cad ab ea é ?—An gunna in áit na cainte ?

Ba shin uile é. Ach ba mhó ná sin uile é. B'é díoltas Eoghain Rua ar Chonfederation Chill Chainnigh é. Ba dhorn as an bhfáinne é do Redmondaíocht agus do gach gnó mar í a bhí faoi dhraíocht ag gáire an tSasanaigh, faoi dhraíocht chun ' saoirse ' a fháil—le haghaidh cultúr Bhéarla Shasana a mhúineadh do Phaddy and the Pig, is é sin, do Phác agus an Mhuc Istigh.

In aon bhladhm shoilse mhíorúilteach amháin d'osclaíodh súile na ndaoine a bhí dall ag na polaiteoirí—go bhfacadar, gur ghlacadar, agus gur mhóidíodar é seo mar rún:

We serve neither Home Rule nor Republic
but Róisín Dubh !

Rud is ea náisiún, staid ruda is ea Poblacht. Rud bréagach a bhí ag Mac Réamainn, ag Grattan, ag an gConfederation: ní Róisín Dubh ach Stella.

Is é glóire 1916: Dhamain sé an tImposter ruda. Chorónaigh sé *An Rud Ceart*. Os comhair shúile fear Éireann. Dúirt 1916, ' Éire Ghaelach ': di sin, agus di amháin, staid saoirse, staid Phoblachta. Agus saighdiúirí na Binne Boirbe, thángadar faoin ngairm agus spridlíonadar Ardoifig an Phoist.

Le doirteadh fola ar son na seanfhírinne sacráilte thit na trusca dár súile, mar chás Phóil ar bhóthar na

Le Éigse an Ghoill

Cathal Ó Toirlí, Áth Cliath – 8 mbliana — WAKEFIELD
S.P. Mac Caluim, Learpoll — 6 –
Seán Mac Stiafáin, Luntrain — 8 –
Míchus? Cairtín, Doire — 8 –— WORMWOOD SCRUBS
Seosaf Caimbéal, Tybar Cinn Crá – 5 bliana –
Lonn Mac Cormaic, Áth Cliath – 4 –
Gaoithín Ó Ruairc, Droichead na Banna 5 bliana
Éamon Ó Dubháig, Áth Cliath — 12 –
Dilíio Ó Fléirís, — 10 –— PÓRTAR
Pádraig Ó Cearnaigh, — 10 –
Tomás Oistéal — 10 –— CROMGLINNE
Seán Mac Cába — 10 –
Seón Ó Ceallacháin, Corcaig — 10 –
Seán Ó Pritseartaig — 10 –
Liam Ó Maoláta — 10 –
Aob Ó Dhálaig, Lurgain — 3 –

Ósnail Ó Muireú, Áth Cliath — MIAS-TSEARBÍS len a saol
Seosam Ó Dubáil, Drí Cualainn
Séamas Ó Murcú, Oiseart Diarmada

Is clos dúinn go bhfuil
tornaiste ag beartaíocht is
ag barbantaíacht Gall ar
an nDroc-íde céanna a
tábairt d'fíríní an lae
inniu agus a tugadh dá
sinsir.

An gá dúinn a rá anso cionas
is féidir dul i mbun a
bhfuascailte? An gá?

Dia leo as lúb 's as éirí,
creidimín is creise i bhfácar,
Dia 'na Sodsám 's 'na lúb leo
is i bhfórác cuirde an fháda.

Aonghus Mac Eoghra Uí Bhídaig

Is le muinntir na hÉireann amáin Éire na hÉireann

Seanas Fionntán Ó Leathlobuir

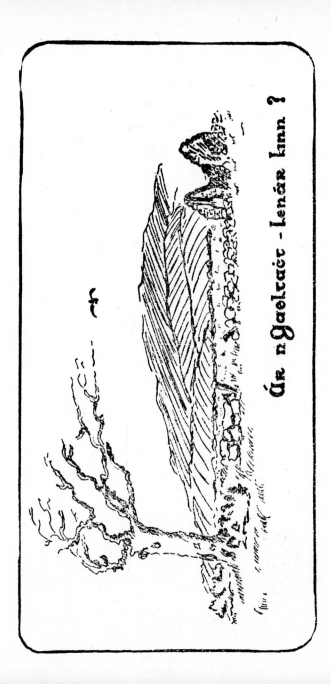

Ár n-Ḃaelṫaċt — Lenár linn ?

INNIU

AMÁRAC

FEASTA

téir

AR AĠAIḊ

ig COMHAR

leis

AN tULTAĊ —

bí ag

TIMIRE

do DÉIRDRE

TÍR NA nÓG

AN GAEL ÓG

10¾d — Cad is féidir leat-sa a déanaṁ ar 10¾d sa tseaċtain

Tig leat na foilseaċáin uile tuas a ceannaċ!

CÚIG

TRUA

na

hÉIReann

Imleabar 1

Uimir 2

Deireaḋ Foṁair

1956

Damaisce, agus chonaiceadar *Ise*—an aisling dár thug ár
gcine an dílseacht bháis seo:

> Beidh gach gleann sléibhe ar fud Éireann agus móinte
>   ar crith,
> Lá éigin sula n-éagfaidh mo Róisín Dubh.

An Piarsach, léigh sé Tone, Mistéil, &rl. Ach dúirt
sé: ' An té nár léigh filí na Gaeilge tá sé dall ar láidreacht
uafásach na méine chun glandealú.'

Éire agus í saor dá bhrí sin: Éire a bheadh ionann agus
í féin dá bhrí sin: is é sin, Gaelach. Ní Poblacht X, ach
Poblacht Róisín. Is é an Piarsach thar chách a chuir an
doimhneas agus an airde seo i 1916. Chuaigh sé ar scoil
go dtí na daoine. Chuaigh sé go Conradh na Gaeilge, go
Conamara agus go filí ár gcine. Chonaic sé go raibh staid
saoirse uathu. Ach chonaic sé cad dó, cad dó a raibh an
tsaoirse uathu.

Samhradh na bliana 1956 chaith Seán tamall ar an
Muiríoch i nGaeltacht Chiarraí, agus cé gur thaitin an
tréimhse leis b'fhearr leis a bheith i gConamara, áit a
bhféadfadh sé teagmháil dhiamhair a dhéanamh leis an
bPiarsach. Ón uair a tháinig sé ar ais ó Chiarraí bhí sé
go gnóthach ag ullmhú an dara huimhir—an uimhir
dheireanach—de *Ghath*. Foilsíodh é sin mí Dheireadh
Fómhair, agus *Cúig Thrua na hÉireann* mar fhotheideal
air. Ba iad cúig thrua sin—i dtuairim Sheáin: An Ghael-
tacht agus an Ghaeilge; an Chríochdheighilt; an Dífhost-
aíocht; an Imirce; Athphlandáil na Tíre. Fiche leathan-
ach stionsal-chlóite a bhí san uimhir dheireanach seo de
Ghath, agus ar nós an chéad uimhir bhí sé maisithe agus
léirithe go healaíonta.

Ar na haistí ó pheann Sheáin Sabhat bhí ceann fórsúil
dar theideal ' I Seilbh Méirleach—Who's Who i gContae
Luimní ? ' Séard a bhí ann, cuntas ar an méid talún i

H

gContae Luimní a bhí i seilbh tuairim is tríocha duine,
ar Ghaill iad a bhformhór agus daoine a raibh teidil
Ghallda acu an chuid eile. Roinnt mhaith de na Gaill seo
is tar éis an dara Cogadh Domhanda a cheannaíodar a
ngabháltais; agus níor lú ar Sheán an sioc samhraidh
ná iad.

> Inniu, ar sé, ar fud an Chontae is iad na Gaill na máistrí.
> Ó Luimneach go Ráth Loirc is beag feirm mhór nach
> bhfuil i seilbh na Sasanach. Táid neadaithe sna tailte
> is breátha agus is saibhre. De ghnáth, ní eiseamláirí den
> bheatha Chríostaí iad, agus tá raidhse fianaise á dhearbhú
> sin don té a lorgódh í.
>
> I Luimneach, agus tríd an tír uilig, is dócha, leath-
> naíonn siad a gcaighdeán bréige, agus loiteann siad dea-
> shaontacht agus macántacht ár muintire. Cruinníonn
> siad le chéile ar Choiste Thaispeántas na gCapall, ag an
> gCounty Club, ag an mBál, ag an bhFiach. (Níor
> fhéadamar a dheimhniú an dtaithíonn siad Conradh na
> Gaeilge ná CLCG, cé go ndeirtear linn go bhfuil suim
> ag cuid de na Lieutenant-Colonels san IRA).
>
> . . . Is iad seo an cúigiú colún inár measc, an garastún
> Gallda ar ceathrún inár dtailte. Is iad—i gcomhar le
> seoiníní atá níos Gallda ná na Gaill féin—is iad a bhuan-
> aíonn forghabháil Ghall in Éirinn. . . Uafás é seo nach
> cóir dúinn a ligean tharainn aon bhliain amháin eile
> gan é a leigheas. Má chuislíonn fuil Ghaelach in ógfhir
> na linne seo, agus má bhuaileann croí Gaelach iontu, ní
> chuirfear suas a thuilleadh leis an mbeadaíocht seo.

Ar na haistí suimiúla eile a bhí sa dara huimhir sin de
Ghath bhí ceann ar an nGaeilge agus an Ghaeltacht:

OLC IS EA DÍFHOSTAÍOCHT.
OLC IS EA CRÍOCHDHEIGHILT.
BÁS IS EA BÉARLA !

When Ireland takes her place among the English-speaking ' nations ' of the world . . . let her epitaph be written (dá mb'fhiú). Éire gan dífhostaíocht, Éire gan Chríochdheighilt—agus í ina tír Bhéarla. Verily a Merry England. Happy English Children. Féach:

Airgead (mar shampla), d'fhéadfadh sé dífhostaíocht a stop.

Misneach (mar shampla), d'fhéadfadh sé Críochdheighilt a stop.

Ní fhéadfadh dada an Béarla a stop ach an Tírghrá.

Ná hoibrigh do do thír as misneach ná as dada eile ach as an Tírghrá. Ansin déanfaidh do mhisneach & rl maith do do thír.

An Tírghrá: Is é an Ceathrú hAithne sa Teagasc Críostaí é. Ná bac mórán le focail mar ' National Spirit.' Buíochas grámhar dár sinsir is ea 90 % den Tírghrá. Buíochas an-speisialta mar gheall ar an uaisleacht an-speisialta—uaisleacht trí phian—a thug Críost dár sinsir, 1550-1850. Agus as an mbuíochas sin fonn cúitimh. Sea, agus dualgas cúitimh.

Mar seo:

Gach ar sciúirsíodh go héagóir as mo shinsir bhochta na Peannaideachta,

Mise inniu tabharfaidh mé mo dhícheall.

Amen.

—Más allas, más fulaingt, más fuil. Amen.

—Chun gach ar sciúirsíodh astusan a bhuachan gan easnamh ar ais arís faoi réim. Agus Amen.

Tá Éire na nAoiseanna i mbaol uafásach

Ag an teanga Béarla.

Is í an Ghaeilge an leigheas.

Is é Dia a thug an leigheas sin

Domsa.

Bheifí ag súil le halt mar sin i bhfoilseachán de chuid

Sheáin Sabhat. Ach is beag duine díobh siúd a fuair an uimhir sin de *Ghath* agus a léigh an t-eagarfhocal, *Jacta Alea Est*, a thuig gur ráiteas oscailte a bhí ann ar an méid a bhí le teacht i gceann dhá mhí.

Ar Charnegie, sílimid, a dúradh san eagarfhocal sin, a cuireadh an cheist: ' Cé acu is riachtanaí don tionsclaíocht, bunábhair nó lucht oibre nó rachmas ? '

In Éirinn inniu cad é an gad is gaire don scornach: An Ghaeilge agus an Ghaeltacht ? An Chríochdheighilt ? Dífhostaíocht ? Imirce ? Athphlandáil na tíre ?

D'fhreagair Carnegie an cheist le ceist eile. ' De thrí chos an stóil cé acu cos is tábhachtaí ? '

Ní áil linne éalú ónár gceist mar sin, ná ón bhfreagra.

Creidimid, áfach, go bhfuil mórfhadhbanna ár dtíre ceangailte chomh dlúth sin le chéile, agus go bhfuil a réiteach chomh práinneach sin, go gcaithfear tabhairt fúthu uile le chéile lenár linn féin más mian linn barrshamhail na nglún Gaelach a bhaint amach.

Is léir cheana féin go bhfuil teipthe ar na páirtithe polaitíochta. Is léir, freisin, gur dhiúltaigh Éireannaigh—gan fhios dóibh féin, b'fhéidir, mar dhall ceo na polaitíochta iad, agus d'fhág míthreoir na bpolaiteoirí mearbhall orthu—is léir gur dhiúltaigh siad tacaíocht don mhodh dlisteanach.

Ach anois níl rogha acu. Tá ré na cainte thart. *Jacta alea est !*

AN FEAR É FÉIN

I

AN CHÉAD PHICTIÚR a dhathaigh Seán Sabhat pictiúr de Mhaighdean na Síorchabhrach a bhí ann. Thug sé dá dheartháir Séamas é i 1946 mar bhronntanas pósta. Roinnt blianta ina dhiaidh sin dhein sé postchúrsa le Coláiste Ealaíne éigin i Sasana. Ceithre cheacht déag a bhí sa chúrsa, agus nuair a bheadh an ceacht deireanach críochnaithe go sásúil ag an mac léinn chéimneofaí é. Ní rachadh Seán thar an tríú ceacht déag. Dheineadh sé gáire mar gheall air seo, agus is é a deireadh sé: 'Ná beinn go deas i mo chéimí ag Coláiste Gallda !' Mholtaí é as na lámha a líníodh sé, ach bhíodh sé beagáinín ar gcúl sna fíoracha iomlána.

Thagadh a lán daoine chuige á iarraidh air dileagraí, cláir cheolchoirmeacha agus chéilithe, póstaeirí agus a leithéidí a dhéanamh dóibh, agus dhéanadh sé go fonnmhar iad. Níor shínigh sé riamh léaráid ná pictiúr dár dhearaigh sé agus as an obair go léir a dhein sé níor ghlac sé cianóg rua ó aon duine riamh. D'iarr sagart air uair amháin ciumhais mhaisithe a dhathú ar phictiúr dó. Tar éis dhá lá tháinig Seán ar ais agus an maisiúchán déanta aige, agus é chomh breá sin nár thuig an sagart conas d'éirigh leis é dhéanamh san am. Sé mhí ina dhiaidh sin fuair sé amach gur thóg Seán dhá lá dá shaoire bhliantúil leis an obair a dhéanamh.

D'iarr an coiste a bhí i mbun thógáil an leacht cuimhneacháin i mBrú na nDéise do Sheán de Bhál, Ceann Briogáide Oirthear Luimní, air i dtosach 1955 dileagra

maisithe a ullmhú dóibh le bronnadh ar an Chevalier
Pádraig ó Síocháin, Ailtire, as ucht an chabhair agus an
chomhairle a thug sé siúd saor in aisce dóibh ón uair a
céadsmaoiníodh ar an leacht a thógáil go dtí gur cuireadh
ina sheasamh é. Dúirt Seán go ndéanfadh sé an obair
agus fáilte, gur phribhléid dó saothar a dhéanamh ar son
coiste d'fhir a throid ar son shaoirse na hÉireann. Dhein
sé an dileagra. Cáipéis álainn dathgheal mhór a bhí ann,
scáil an leachta féin le tabhairt faoi deara taobh thiar den
scríbhinn láir.

Chuir sé iomlán a chroí in ullmhú an dileagra seo agus
chaith sé mórchuid oícheanta fada á fhoirmiú is á fhoir-
bheadh go raibh an toradh ina chúis iontais do gach duine
a chonaic é. Bhí áthas an domhain ar an gcoiste nuair a
fuaireadar é. Thuigeadar go raibh éacht oibre ann, agus
d'fhiafraíodar de Sheán cé mhéid a bheadh ag dul dó.
Ba bheag nár chuir an cheist sin fearg air; is cinnte gur
ghoill sí air. Ní raibh aon táille ag teastáil uaidh, dúirt sé.
Nach raibh a fhios acu gur le meas a thaispeáint do
Shean-Óglaigh na hÉireann a chuaigh sé i mbun an
dileagra sin a dhéanamh? An 18ú Iúl 1955 chuir comh-
rúnaithe an Choiste Cuimhneacháin litir ag triall air:

We are instructed by the Committee . . . to convey to
you its deep gratitude for the very beautiful illuminated
address you designed and executed for presentation to
Chevalier Patrick Sheehan, Limerick.

That you presented this lovely work of art to the
Committee without fee or reward and entirely at your
own expense will always be appreciated as a gesture of
your unselfish devotion to the cause of Irish freedom.

The Committee feels honoured to have made your
acquaintance.

Tamall ina dhiaidh sin bhronn an Coiste Cuimhneach-
áin roinnt leabhar ar an bpéintéireacht air. Leabhair iad
seo a bhí ar intinn aige féin a cheannach. Fuair ball den
Choiste eolas orthu ó chara discréideach. Is é Seán a bhí
buíoch astu, cé nár thuig sé riamh conas a tharla gurbh
iad na leabhair áirithe sin a toghadh.

II

Dhá bhliain déag ar fad a bhí Seán ina bhall den Fhórsa
Cosanta Áitiúil. An 20ú Bealtaine 1943, nuair nach
raibh ach 15 bliana aige, a liostáil sé ar dtús. Ceapadh
ina cheannaire é an 1ú Aibreán 1946: ardaíodh ina
sháirsint é an 21ú Meitheamh 1946; tugadh coimisiún dó
i gcéim dara leifteanant an 3ú Samhain 1950. As seo
amach bhí sé ina cheannasaí buíne sa 49ú Cathlán; agus
an 5ú Lúnasa 1953 ardaíodh chun céim leifteanaint é.

Ní raibh ball níos díograisí san FCÁ ná Seán, agus is ar
éigean má tháinig aon oíche chruinnithe nach raibh sé i
láthair i nDún an tSáirséalaigh. Bhí fonn agus flosc air
ceird an tsaighdiúra a fhoghlaim, agus níor lig sé thairis
aon chaoi le breis oiliúna a fháil. D'fhreastail sé cúrsaí
traenála in áiteanna éagsúla, agus cheannaigh sé agus dhein
staidéar ar roinnt mhaith leabhart—éacsleabhair, beathais-
néisí, cuimhní cinn agus tréimhseacháin ina raibh cur síos
ar chúrsaí míleata.

De ghnáth, cruinniú amháin in aghaidh na seachtaine
a bhíodh ag an FCÁ. Dhá uair a chloig a mhaireadh an
cruinniú. Chomh maith leis sin, bhíodh inlíocht nó
cleachtadh machaire de shaghas éigin ann gach Domhnach
samhraidh; agus bhíodh paráid bhreise ann seachtaíní
áirithe roimh ócáid ar leith, teacht cuairteora thábhacht-
aigh nó seirbhís speisialta eaglaise, nó a leithéid.

Saighdiúir ceart ab ea Seán le féachaint air, ard, díreach,
daingean, dáiríre. Bhí an-eolas ar shaighdiúireacht aige,
agus bhí iontaoibh agus muinín as dá réir ag na fir a thug

seirbhís faoi. Ordú ar bith a thabharfadh sé chuirfí i ngníomh é go praitinniúil agus go lántoilteanach. Bhí meas mór ag idir oifigigh agus fhir air, agus urraim acu dó. Ach toisc gur dhuine ciúin é, nach raibh mórán dúil aige i gcuideachta, ach amháin cuideachta na Gaeilge, bhí roinnt díobh nár chuir a lán aithne air. Ach ba é teist gach aon duine a raibh aon bhaint in aon chor aige leis san FCÁ gur dhuine mín mánla é, a bhí coinsiasach faoi chách, agus a shéan an mhóruaill agus an mhórchúis faoi mar a shéanfadh sé peaca marfach.

Bhí sé ina bhall d'fhochoiste a raibh sé de chúram air caitheamh aimsire agus cluichí a chur ar fáil do bhaill an Fhórsa—cluichí mar leadóg bhoird agus fáinní a himrítí i halla sa bheairic. Bhí sé an-choinsiasach timpeall an chúraim seo, agus níor dhein aon dá leath riamh dá dhícheall chun imeachtaí an FCÁ a dhéanamh chomh taitneamhach suimiúil do na fir is ab fhéidir.

Dhein sé tréaniarracht ar an nGaeilge a chur chun cinn san Fhórsa, agus d'éirigh leis buíon do Ghaeilgeoirí a bhunú i measc na mball i 1951. Fuair sé lánchomhoibriú ó na húdaráis leis an mbeart seo a chur i gcrích. I nGaeilge a thugadh sé roinnt dá chuid teagaisc. Sártheagascóir ab ea é, i nGaeilge nó i mBéarla. Bhaineadh sé an-fheidhm as léaráidí. É féin a líníodh iad seo, leis an gcúram agus leis an gcruinneas céanna lena ndéanfadh sé pictiúr do *Ghath* nó do *Rosc*. Bhíodh eolas fairsing aige i gcónaí ar an ábhar a mbíodh sé ag trácht air, agus bhí guth glanbhog taitneamhach aige. Fear breá a bhí ann le breathnú air, slí an-chaoin aige, agus bhí sé in ann smacht a choimeád ar rang gan dua ar bith. Thuill sé cáil chomh mór sin mar theagascóir go raibh sé ina eiseamláir ag gach teagascóir eile san FCÁ i nDún an Sáirséalaigh.

An neart a chaitheann a lán eile le caint agus le tathanna
spleodair, le machnamh a chaith Seán é. Agus as an
machnamh sin tháinig faoi dheireadh míshástacht agus
mífhoighne agus cíocras chun gnímh. Mheas sé anois
gurbh ait an rud a bheith ag cleachtadh cogaidh in arm
Éireannach nach raibh toilteanach iarracht a dhéanamh
ar na Gaill a dhíbirt as an gcuid sin d'Éirinn a bhí fós ina
fearann claímh acu. Chinn sé ansin ar cheangal le harm
eile seachas arm oifigiúil an Stáit, agus buille a bhualadh
sna Sé Chontae i gcoinne fhórsaí na nGall. An 22ú Aib-
reán 1955 d'éirigh Seán dá dheoin féin as an FCÁ. Bhí sé
socair anois ina aigne aige go mbainfeadh sé feidhm as an
oiliúint mhíleata a bhí faighte aige, agus go rachadh sé ó
thuaidh lá éigin

> *Ag seilg troda ar fhéinn eachtrann*
> *'Ga bhfuil fearann bhur sinsear.*

III

AON RUD ar thug Seán Sabhat faoi dhein sé go maith é.
Níor dhein sé faillí ina chuid obair laethúil in oifig
Mhuintir mhic Mhathúna, mar a raibh sé fostaithe ó
d'fhág sé an scoil, ach oiread le rud ar bith eile. Bhí sé
féin agus foireann na hoifige sin an-gheal dá chéile, agus
bhí meas acu air, fiú ag an gcuid acu nach n-aontódh go
deo leis an dearcadh a bhí aige i leith na polaitíochta ná i
leith na Gaeilge. Nuair a bhí sé san oifig i dtosach na
haimsire d'fhan cuid d'áilteoireacht an gharsúin ann—
leabhar a shocrú ar bharr chomhla an dorais chun é a
thitim sa cheann ar an té a bhí le teacht. Agus mar sin.
   Bhí folt breá rua ar Sheán. Thiocfadh áilteoir eile de
leith a chúil air agus dhéanfadh cuimil-an-mhála den
fholt rua. Nuair a gheobhadh Seán an chaoi chúiteodh
sé an comhar le trangláil a dhéanamh de dheasc néata
an té sin.

> D'ordaigh Pádraig in Éirinn
> An té ná déanfadh beagán
> É a dhéanamh mórán
> Den díth céille.

   Ach, ar ndóigh, ní mar sin a chaitheadh sé an t-am ar
fad. Bhí sé thar a bheith éifeachtach i mbun a ghnótha
féin agus bhí sé in ann tabhairt faoi aon saghas oibre a bhí
le déanamh in aon roinn den oifig. Bhí sé an-tapaidh le
figiúirí agus bhí ar a chumas áireamh a dhéanamh ina
intinn ná faigheadh an gnáthdhuine a dhéanamh gan dul

i muinín peann luaidhe agus páipéir. Bhaineadh sé
feidhm as inneall suimithe, agus bhí an cháil amuigh air
go bhféadfadh sé míorúiltí a dhéanamh leis an ngléas seo.

Dhéanadh sé léaráidí, chun críocha fograíocht sna
nuachtáin, d'earraí éagsúla—feacanna, bloic urláir, etc.—
a bhíodh ar díol ag an gcomhlacht. Dhear sé plean de
mhuileann sábhadóireachta uair amháin a bhí chomh
maith le plean a dhearfadh duine a mbeadh cáilíochtaí ar
leith aige chun na hoibre sin. Bhí sé lántoilteanach i
gcónaí lámh chúnta a thabhairt d'aon duine a bheadh ag
obair leis, agus ní raibh doicheall riamh air roimh duine a
rachadh chuige ag lorg comhairle.

IV

Trí sheachtain tar éis bhás Sheáin, thagair an sean-
seadaire cróga, Seán ó Maoláin, T.D., agus iar-Aire
Stáit, dó, agus dúirt, de réir tuairisc a foilsíodh ar *Scéala
Éireann*, an 21ú Eanáir 1957:

> Le déanaí maraíodh fear óg luachmhar as Luimneach
> thuas sna Sé Chontae, agus deir na nuachtáin gurbh í a
> shochraidsean an tsochraid ba mhó a chonacthas riamh
> i Luimneach nó, b'fhéidir, in Éirinn.

An duine nár chuala iomrá riamh ar Sheán Sabhat go
dtí go raibh sé marbh b'fhéidir go gceapfadh sé go raibh
sé chomh mór sin ina dhíograiseoir agus ná féadfadh aon
tréithe daonna a bheith ag baint leis. Ach ní mar sin a bhí.
Is fíor go raibh sé sáite go domhain in obair na Gaeilge
agus in obair na náisiúntachta ach, san am céanna, fear óg
nádúrtha a bhí ann, mar is léir ó na véarsaí seo a sheol sé
chuig a chailín tráth dá raibh sé as láthair ó chathair
Luimní:

> *Dá mbeifeá anso*
> *Lem thaobh anocht*
> *Bheadh sliabh is cnoc*
> *Is gleann is bóthar bán*
> *Le siúl againn ;*
> *Is gealach ghlé*
> *I réim sa spéir*
> *'Cur draíocht ar fhéar,*
> *Is boladh cumhra fraoigh.*

Mo léan !
Ní amhlaidh atá—
Ach tú, a ghrá,
I bhfad ar shiúl.
Is nach cráite atá
Mo chroí anocht
Ag breathnú spéire.
Níl ann im chroí
Ach an t-aon ghuí—
Go rabhad gan mhoill
Ar ais led thaoibh
Ag siúl na sliabh.

Agus ógfhear i ngrá, mar aon ógfhear eile i ngrá, atá
ag labhairt anseo, leis:

Tá a fhios agam
*   Ó bhuail mé leat*
Gur fearrde mé !

Tá a fhios agam
*   Ó bhuail mé leat*
Gur gile an ghrian,
*   Gurb áille an spéir,*
*   Gurb aoibhne an tuath.*

Tá a fhios agam,
*   Bhfuil a fhios agat ?*
Go ngráím tú
*   Le m'anam is croí.*

Ní dhéanadh Seán aon rince, ach théadh sé go minic go
céilithe an Chonartha agus na Réalta. Agus ní raibh aon
doicheall air culaith thráthnóna a chaitheamh ar ócáidí—
agus ba bhreá galánta a d'fhéachadh sé agus é gléasta mar

sin. D'fhanfadh sé ina shuí ag breathnú ar na rinceoirí agus ag caint le cairde go mbeadh an céilí thart. Rachadh sé abhaile ansin chomh sona sásta le haon duine den lucht rince. Bhí dúil sa cheol aige, agus thosaigh sé ag foghlaim an veidhlín nuair a bhí sé go maith os cionn 20, ach níor chuala a chairde i Luimneach riamh ag seinm é; cé gur sheinn sé ceol agus gur chan sé amhrán ar a bhealach ó thuaidh ar an eachtra dheiridh.

Níor thaitin na scannáin leis, ar an ábhar gur saol a bhí bun os cionn leis an saol Críostaí a bhí á léiriú ag an gcuid is mó acu. An léiriú nuaphágánach ar an saol a bhíonn go minic iontu, an neamhbheann ar an bpósadh, stim ghlóire faoin bpeaca, ba leor sin chun na scannáin a dhamnú i dtuairim Sheáin. Agus ar ndóigh chonaic sé ina theannta sin iontu gléas éifeachtach i nGalldú na tíre agus, go háirithe, i nGalldú mheon na n-óg.

Níor ól sé tobac, ná níor bhlais sé deoch mheisciúil riamh, cé go raibh sé toilteanach, am ar bith, suí síos le cairde a thógfadh braon, buidéal líomanáide a ól leo, agus páirt a ghlacadh in aon chomhrá a bheadh ar siúl eatarthu.

Aon am a bhí saor aige sna hoícheanta, sa bhaile a chaitheadh sé é ina sheomra staidéir, ag léamh, ag scríobh, ag smaoineamh, ag líníocht nó ag péintéireacht, agus gan sa seomra leis, de ghnáth, ach cat bán a bhí ina pheata aige. Pangar a thug sé mar ainm ar an gcat, ón gcat sin a bhí ag an manach úd sa tseanaimsir a scríobh *Mise agus Pangar Bán*. Agus go deimhin níor ró-éagsúil le cillín manaigh an seomra féin—leabhragáin leis na ballaí; bord i lár baill, roinnt bhuidéil dúigh, árthaí beaga péint, scuaba agus pinn leagtha air; dhá chathaoir nó trí, agus an Chrois Chéasta ar an matal lom. Eagar ordúil ar gach

I

aon rud.

Bhí cara nó dhó a bhuaileadh isteach chuige ó am go chéile. An Ghaeilge agus an náisiúntacht na hábhair chaibidle a bhíodh acu. Éire a bheadh Gaelach agus Éire a bheadh saor a theastaigh ó Sheán, faoi mar a theastaigh ón bPiarsach, agus bhíodh sé i gcónaí ag beartú agus ag cuimhneamh ar sheifteanna agus ar mhodhanna leis an dá aidhm sin a thabhairt chun críche.

Duine staidéartha a bhí ann, nach ndéanfadh aon rud gan an uile phointe a bhain leis a mheas agus a mheá roimh ré. Smaointeoir ab ea é, agus chaith sé a lán ama ag machnamh agus ag iarraidh teacht ar réiteach na bhfadhbanna a bhí ag goilleadh ar a thír agus ar a chine. Léitheoir ilghnéitheach a bhí ann. Bhí na céadta leabhar sna leabhragáin aige, agus leabhair nua a cheannaigh sé féin ó d'fhág sé an scoil is mó a bhí iontu. Is beag leabhar Gaeilge a foilsíodh ó thosach ré na hathbheochana nach raibh aige. Chomh maith, bhí cnuasach breá aige de leabhair i mBéarla le scríbhneoirí mar Canon Sheehan, Charles Kickham, Michael Doheny, John Mitchel, Seamus MacManus, Ethna Carbery, Alice Milligan, William Bulfin, David Hogan, Thomas Davis, Aodh de Blacam, Daniel Corkery, M. J. MacManus agus, ar ndóigh, Pádraig mac Piarais. Bhí a lán leabhair luachmhara ar phéintéirí agus ar phéintéireacht aige: leabhair ar chúrsaí airgeadais, ar chúrsaí míleata, leabhair ar an dúlra, leabhair ar Shalazar agus a chóras polaitíochta, leabhair ar an gCumannachas, leabhair ar an Dara Cogadh Domhanda a scríobh F. G. P. Veale. Bhí roinn ar leith aige i gceann de na leabhragáin le haghaidh leabhar spioradálta.

Duine an-chráifeach ab ea Seán Sabhat. Bhí sé ionraic,

macánta, glanaigeanta, glanlabhartha—b'fhuath leis aon
duine a chlos ag tabhairt easurraim don Ainm Naofa.
Bhíodh sé i láthair ag Aifreann a seacht gach maidin,
agus ghlacadh sé Comaoineach go laethúil. Bhí an-
deabhóid aige don Mhaighdean Mhuire agus do na
sean-naoimh Ghaelacha. Bhí sé fial lena chuid ama is
lena bhuanna. Agus bhí sé thar a bheith fial lena chuid
airgid: is beag duine i gcathair Luimní a bhí chomh
carthanach do na boicht is a bhí sé—ach ní bhfuarthas
amach é sin go dtí go raibh sé marbh. B'fhada uaidh
féinmholadh, fimínteacht agus cur i gcéill. D'fhéadfaí
a rá go fírinneach nach raibh cor cam ina chroí.

An pictiúr de Sheán a fhanann in aigne mhuintir
Luimní: ógfhear díreach rua ag teacht aníos an tsráid, a
dhá láimh sáite i bpócaí a chóta mhóir; truslóga fada faoi,
ach é ag siúl go réidh; a cheann cromtha beagáinín, a aire
go suaimhneach ar rud éigin ina aigne féin agus fada ó
bhaile, ó ghleithreán na sráide. Uaireanta eile, ar rothar
a d'fheicfeá é, cairt mhór faoina ascaill aige—píosa lín-
íochta a bheadh ann go cinnte. I nGaeilge a bheannódh
sé duit; agus Gaeilge a labhair sé le haon duine a thuig
aon chúpla focal di in aon chor. Fear breá ligthe córach
a bhí ann; clár éadain aige a mheabhródh duit toil is
intleacht; súile geala, dearcadh caoin iontu; béal daing-
ean—miongháire go minic air; méara fada an ealaíontóra;
uaisleacht agus dínit i ngach mionchor a chuireadh sé de,
i ngach focal a labhraíodh sé.

D'fheicfeá i siopa leabhar sa chathair é Satharn ar bith,
cúpla leabhar Gaeilge ceannaithe aige, é ag breathnú ar
leabhar eile—leabhar a bhain le hÉirinn, nó leis an
bpéintéireacht, nó leis an gcreideamh, nó leis an dúlra.
Dhéanadh sé tamall cainte le haon duine a chastaí air sa

siopa agus ansin: ' Ní chuirfead a thuilleadh moille ort anois, mar táim cinnte go bhfuil gnóthaí eile le déanamh agat.' Bheadh eagla air go mbeadh sé ag cur isteach ar an bhfear eile agus ag cur a chuid ama amú air. Fíor-dhuine uasal.

Guth toll sámh cneasta fearúil a bhí aige. Níorbh fhear mór cainte é, agus go suaimhneach a labhraíodh sé, ach bhí dáiríre san uile fhocal. Nuair a déarfadh Seán: ' Ó, go raibh maith agat,' bheadh a fhios agat láithreach gur óna chroí a tháinig na focail. Aon duine a labhair leis ar an teileafón agus a dúirt: ' Dia dhuit a Sheáin ! ' chuimhneodh sé ar an tslí shollúnta chairdiúil a thabharfadh Seán an freagra: ' Ó, Dia is Muire dhuit ! ' Paidir a bhí i ngach beannacht aige, pé acu ar an tsráid nó ar an teileafón é.

Ní raibh aon phatuaire ag baint le Seán Sabhat. Cheangail sé i ndiaidh a chéile le trí cinn d'eagraíochtaí a dtabharfadh a lán daoine eagraíochtaí antoisctheacha orthu—Maria Duce, Seadairí na Saoirse agus an tIRA. Bhí tuairimí láidre aige. Ach bhí de mhisneach aige beart a dhéanamh de réir na dtuairimí sin.

V

Bhí meas an domhain ag Seán Sabhat ar an bPiarsach.
Bhí sé mar dheartháir mór aige, an treoraí thar chách i
gcúrsaí náisiúntachta. Bhí scríbhinní an Phiarsaigh ar na
chéad leabhair ar an náisiúntacht a léigh sé, agus ní dóichí
rud ná gurbh iad na scríbhinní sin a dhein díograiseoir de
i gcúis na Gaeilge agus i gcúis na hÉireann. Thaitin
uaisleacht an Phiarsaigh leis, agus a chalmacht; thaitin a
mheon glan fearúil leis; thaitin geanúlacht agus geanm-
naíocht a chuid scéalta leis. Gach aon alt nó aiste ar an
bPiarsach a chonaic sé i nuachtán nó i dtréimhseachán
ghearr sé amach é agus chuir i dtaisce é i gcomhad i
measc a chuid páipéar. Oíche Dhomhnaigh amháin i
Mí na Nollag 1950 chuaigh sé ar a rothar amach go dtí
Faing, turas breis agus fiche míle, chun léacht ar an
bPiarsach a chlos. ' Nach fada ó bhaile a tháinis ? ' arsa
cara leis a chas air ann. ' Rachainn níos sia ná sin ó bhaile,'
arsa Seán, ' chun éisteacht le léacht ar an bPiarsach.'
   Ba lá mór dó an lá Lúnasa úd i 1954 nuair a sheas sé
den chéad uair i dTeach an Phiarsaigh i Ros Muc.
Chuaigh sé ag cuardach daoine a raibh aithne acu ar an
bPiarsach, agus casadh Mícheál ó Máille air. Tigh
Mhíchíl i Ros Muc a d'fhanadh an Piarsach sular tógadh
an teachín geal ar an aill os cionn Loch Eireamhlach. De
réir na tuairisce a thug Mícheál do Sheán, ' An chéad
tráthnóna úd a chonaic an Piarsach a mháthair dhil féin
ina suí go banríonúil ag ceann an bhoird i dTeach an
Phiarsaigh tá sé ráite go ndúirt sé: " Tá mé sa bhaile

faoi dheireadh, buíochas le Dia." ' Dhein Seán pictiúr i
ndathanna de Theach an Phiarsaigh, agus dhein sé
portráid de Mhícheál ó Máille.

Is cinnte dearfa gur thóg Seán an Piarsach mar phátrún,
gur lean sé a eiseamláir, agus gur dhein aithris, le hiom-
láine machnaimh, ar na trí mhóraidhm a chuir an Piarsach
i gcrích ina shaolré. Bhunaigh an Piarsach Scoil Éanna,
bhunaigh Seán Giollaí na Saoirse; chuaigh an Piarsach
i mbun *An Claíomh Solais* agus *An Barr Bua*, chuaigh
Seán i mbun *An Giolla* agus *Gath ;* má ghlac an Piarsach
páirt i dtroid i gcoinne fhorlámhas Gall, agus má fuair sé
bás ann, ghlac Seán leis páirt i dtroid i gcoinne fhorlámhas
Gall agus fuair bás ann.

VI

Ós RUD é go raibh baint chomh mór sin aige le hobair na hathbheochana i Luimneach ní miste cúpla focal a rá i dtaobh cuid de na himeachtaí a cuireadh ar siúl ar mhaithe leis an nGaeilge i gCathair agus i gContae Luimní sna blianta sin a raibh Seán Sabhat ag diansaothrú ar son na teanga. Blianta tairbheacha torthúla a bhí iontu, blianta ina dtáinig borradh agus fás faoi ghluaiseacht na Gaeilge i Luimneach, go háirithe sa chontae. Bhí a dtionchar féin ag na himeachtaí sin ar Sheán.

I ngeimhreadh na bliana 1948, sa chuid thoir theas de Chontae Luimní, cuireadh tús le scéim ar tugadh ina dhiaidh sin Scéim na nOícheanta Gaelacha uirthi. Ní fada go raibh an scéim seo ag leathnú amach ar fud an chontae uile, nach mór. Is é a bhí san Oíche Ghaelach, oíche le caidreamh is le siamsa, le tae is le céilí, do dhaoine a bhí ag freastal ar ranganna Gaeilge, is d'aon Ghaeilgeoirí eile sa cheantar a mbeadh spéis acu ina leithéid de theacht le chéile. Agus ní lucht scoile a bhíodh ar na hOícheanta sin—b'annamh duine faoi bhun 17 mbliana a fheiceáil i láthair. Thagadh dreamanna fiche míle uaireanta go dtí na hOícheanta Gaelacha. B'intuigthe gurbh í an Ghaeilge an teanga ar an Oíche, chomh fada is ab fhéidir í a úsáid.

Idir deireadh 1948 agus deireadh 1956 cuireadh suas le caoga ceann de na hOícheanta seo ar siúl i gContae Luimní, a bhformhór i sráidbhailte beaga i lár na tuaithe. Thugtaí tuairiscí cruinne orthu sna nuachtáin áitiúla, agus d'eirigh leo suim an phobail a mhúscailt i gcúis na Gaeilge.

Bunaíodh Seadairí na Saoirse i gcathair Luimní i dtosach 1949, agus bhí Seán Sabhat agus beirt bhall eile de na Seadairí i láthair chun labhairt ar thábhacht na hathbheochana ag an Oíche Ghaelach a tionóladh i mBrú Rí Nollaig na bliana sin. An oíche sin a chuir roinnt mhaith de Ghaeilgeoirí Chontae Luimní aithne den chéad uair ar Sheán Sabhat.

Malairt ionaid ó bhliain go bliain a bhíodh ag Feis Chontae Luimní. Bhí 10,000 duine i láthair i mBrú Rí an 25ú Meitheamh 1950, nuair a thug Éamon de Valéra óráid na Feise. Ócáid stairiúil don áit ab ea í, mar gur i bhfoisceacht leathmhíle den sráidbhaile a tógadh De Valéra féin. Fuarthas iasacht aimplitheora ó Sheadairí na Saoirse d'ardán an chainteora, agus bhí Seán Sabhat i mbun an trealaimh sin an lá ar fad.

Thionóltaí roinnt mhaith aeraíochtaí leis ar fud an Chontae—bhíodh an-cháil ar an aeraíocht bhliantúil san Fheothanach, agus ar an tóstal taibhseach a bhíodh ina cuid di.

I 1952 bhunaigh an tAthair Gearóid de Bhál, S.C.—mac le Seán de Bhál, Ceann Briogáide Oirthear Luimní, a maraíodh i dtroid le Gallaibh i 1921—Cumann Gaelach Mhuire i sean-Pharóiste Mhuire i gcathair Luimní, chun an Ghaeilge agus béascna na nGael a chur ar aghaidh. D'éirigh thar barr leis an gCumann seo.

Bhí toradh maith ar an obair seo go léir a bhí ar siúl sa chontae agus sa chathair. I dtosach Mhí na Leabhar, in Aibreán 1954, dúirt Rúnaí an Chlub Leabhar gurbh é Contae Luimní an contae ba sheasmhaí sa tír ó thaobh an líon ba mhó ball a chlárú sa Chlub, bliain i ndiaidh bliana—agus ní raibh Club Leabhar na Sóisear i bhfad bunaithe go raibh farasbarr moladh aige do Luimneach.

Samhradh na bliana 1955 osclaíodh Áras Íde i bhFaing. B'é sin an rud ba mhó a deineadh i Luimneach ó thús na hathbheochana agus is do thriúr go háirithe atá a chreidiúint ag dul—do Risteard mac Siacuis, do Mhícheál de Búrca agus do Dhonncha ó Briain, T.D., triúr a bhí gníomhach i ngluaiseacht na Gaeilge sa chontae le fada an lá.

Ach le blianta roimhe sin bhí a lán á dhéanamh i Luimneach chun daoine óga a chur go dtí an Ghaeltacht, nó go Coláiste Samhraidh Gaeilge. Idir 1948 agus 1956, agus an dá bhliain sin faoin áireamh, cuireadh 701 dalta scoile ar chúrsa míosa go Cúil Aodha, faoi Scéim Choiste na bPáistí i Luimneach. Agus sa tréimhse chéanna thug Coiste Gairmoidis Chontae Luimní 234 scoláireacht go Coláiste Eoghain uí Chomhraí i gCarraig an Chabhaltaigh—is go dtí Áras Íde a théann lucht buaite na scoláireachtaí seo anois; agus sholáthraigh Coiste Gairmoidis Chathair Luimní breis agus céad scoláireacht—iad seo, leis, go Coláiste uí Chomhraí.

Oícheanta Gaelacha, léachtaí, ceolchoirmeacha, céilithe, feiseanna, aeraíochtaí, taispeántais, cúrsaí Gaeilge—sin cuid de na himeachtaí Gaelacha a bhí ar siúl i Luimneach sna blianta a raibh Seán Sabhat ag saothrú ar son na teanga. Bhí sé i láthair ag cuid de na himeachtaí sin; chabhraigh sé le lucht eagraithe cuid eile díobh trí chláir a dhéanamh is a mhaisiú dóibh; ach chuiridís go léir gliondar ar a chroí. Ní raibh sé i láthair ag an tabhairt amach Gaelach deireanach a bhí i Luimneach i 1956—an ghnáth-Fhleá Nollag a reachtáil Cumann Gaelach Mhuire ar an 13ú Nollag. I bhfad ó bhaile a bhí sé an oíche sin, áit éigin sna Sé Chontae, ag fógairt fáin ar Ghallaibh. Agus gan a fhios sin ach ag fíorbheagán daoine. Bhí a fhios againn go léir, faraoir, an 2ú Eanáir 1957, nuair

> . . . *dúirt glór an raidió,*
> *Maraíodh Seán Sabhat aréir.*

Is iomaí rud a dúradh ó shin faoi—á mholadh agus á cháineadh. Cén freagra ab fhearr ar an gcáineadh ná na línte seo as *The Dream* le ' Gallowglass,'[1] más i mBéarla féin iad:

> When a young man dies for his country, he dies for
>   a dream that is your dream.
> If you believe his methods are wrong, it is for you to
>   demonstrate what methods are right.
> How far have you progressed—or even tried ?

---

[1] I gcló ar lgh. 146-7. den leabhar **iomlán,**

BLÁTHFHLEASC

TEASTAS COMRÁDAÍ

As na blianta go léir is í seo an chuimhne shúl ar Sheán is beo a fhanas i m'aigne:

Bhí mé ag teacht anuas ó Ghleann Delmege maidin Domhnaigh shamhraidh. San ard os cionn Chnoc an Lisín cé bheadh i mo choinne aníos ach Seán. Pearsa ógfhir go deimhin chomh sámh agus a d'fheicfeá. Bhí an ghrian ag spréacharnach as a cheann rua.

Leata amach os mo chomhairse síos amach ó dheas bhí an radharc iontach atá ón áit sin agat ar Chlár Geal na Mumhan. Agus aníos trí lár an phictiúir sin—díreach mar a d'fheicfeá ar na scannáin déanta é—bhí Seán ag triall orm.

Bhí a fhírinne dhomhain féin sa mhéid sin. Mar aníos tríd an dúiche sin is ea a d'fhás sé, an sármhac, agus a tháinig sé go dtí sinn, agus é ornáidithe le gach áilleacht dar uaisligh riamh stoc na dúiche sin ina meon.

Bhí na Giollaí roimhe amach, ina dhiaidh, timpeall air. Agus bhí an guth dodhearmadta úd a mhair agus ná maireann ag rá liom: 'Is aoibhinn a bheith ag éisteacht leo. Agus chomh furasta freisin agus chomh nádúrtha agus a thagann sí chucu.' Creidim ná raibh aon rud eile saolta a chuireadh an oiread aoibhnis ar Sheán agus a chuireadh sé a bheith ag éisteacht le páistí, i nGaeltacht nó i nGalltacht, ag labhairt Gaeilge.

'Is aoibhinn. . .' Déarfadh Seán focal mar sin go simplí, agus cibé bua a bhí aige ina chaint ba dhóigh leat nár chuala tú an focal sin riamh cheana, nó má chuala gur beag a thuig tú a chiall.

San aoibhneas, a Sheáin, a bhí tú an lá úd fadó ar chuireamar tús ár n-aithne ort, agus tú á roinnt. San

aoibhneas a fuaireamar tú lá Chnoc an Lisín agus gach lá
eile díobh, agus tú á roinnt. Go dtí gur glaodh ó Dhia
chun a aoibhnis féin ort, chun a bheith leat á roinnt.

Fear folláin amach is amach i gcorp, in inchinn agus in
aigne ab ea Seán. An toil ansin a bhí aige níor chuir sí
suim riamh in aon rud ach sa mhaitheas. Ní fhéadfá a
shamhlú gur thug sé aon nóiméad riamh ag troid aon
chlaonadh lochtach, ach an fás sa mhaitheas ar siúl i
gcónaí gan stad.

Naomh ón gcliabhán a déarfá. Go deimhin is i
gcliabhán Dé a chaith sé a bheatha, agus aon urnaí fhada
amháin ab ea a shaol. D'aithin tú láithreach gurbh fhear
é seo nár bhain le duine ná le rud den saol seo, ach le
Dia, le Muire agus leis na naoimh. Bhí sé lán de shíocháin
ann féin, folamh ó chogadh ann féin. Uime sin bhí a
bheatha sona séanmhar thar meon.

Aon ghníomh a dhéanfadh Seán ní leor a rá go raibh an
gníomh sin maith. Álainn a chaithfeá a rá a bhí sé. Is é
sin an mhaitheas sroichte go dtína háilleacht. Agus sin i
gcónaí.

Dá bhrí sin d'fhéadfá a rá ná faca tú aon seansáil i Seán
riamh. Ní fhaca tú fiabhras ná cráiteacht ná deabhadh,
aon phioc. Ar shlí d'fhéadfá a rá ná faca tú áthas air,
brón air, greann air, dada air. Mar ba chirte a rá go mbídís
sin go léir in éineacht lena chéile i gcónaí i Seán; ceart
na hócáide de gach ceann agus de réir miosúir éigin a bhí
álainn thar insint.

Ní ionadh dá bhrí sin go n-aithníodh daoine a mhaith-
eas mhór ar an gcéad teagmháil. D'aithin tú, b'fhéidir,
go speisialta urraim duit, urraim nach bhfuair tú ó aoinne
eile riamh. D'aithin an duine aosta an urraim sin, agus
an cailín óg, agus an bochtán, agus an páiste, agus, ar
ndóigh, sinne a chomrádaithe.

Agus ba thoil le Dia an ornáid naofa duine seo go mbeadh sé ag gabháil thart go mór idir daoine agus aithne a bheith go forleathan acu air. Go dtí go mbeadh aige an tsochraid ba mhó daoine agus deora dá raibh riamh i Luimneach, ag an g*corner-boy misguided* seo: ag an mac is iontaí maitheas dár thug Dia sa ghlúin seo duit, a Róisín Dubh, a deirimidne.

Róisín Dubh: mar, an tslí a bhí Seán do Dhia, mar sin freisin a bhí sé, ar son Dé, don náisiún inar shaolaigh Dia é; an mhaitheas iomlán chéanna.

Bhí buíochas gan teorainn aige do Dhia, agus faoi sin dár sinsir, mar gheall ar an stair uasal de sheasamh ar son na córa atá ag an tírín seo. Chreid sé go raibh Dia fial thar insint dúinn agus a leithéid sin de charn uasal dea-shampla a thabhairt dúinn.

Bhí sé soiléir ar fad aige, a ghlúin féin, gurbh í príomh-mhaitheas a theastaigh ó Dhia a dhéanfadh an ghlúin sin don náisiún ná an Ghaeilge a thabhairt ar réim arís tríd an tír; trí ghrá buíochasúil mar a bheadh ag duine dá thuismitheoirí. Leis an obair sin a chaith sé an chuid is fad-mhó dá shaothar go lá a bháis.

B'í an Ghaeilge ar ndóigh freisin a phríomh-ionstraim chun na Sé Chontae, a ionstraim chíoná: 'Mórán den Ghaeilge, beagán den ghunna.' Agus mar gheall air sin b'imní leis cuid de na Poblachtaigh, cuid de mhuintir Bhaile Átha Cliath go háirithe: 'Arm Béarla, sin garastún leis an Sasanach in Éirinn.' 'Arm Béarla ní fhéadfadh sé gan níos mó de dhíobháil a dhéanamh d'Éirinn ná de mhaitheas.' 'Ní fhéadfadh aon arm ach arm Gaeilge Éire a chur ar bun.'

Seachtain roimh a bhás: 'N'fheadar cé acu ab fhearr liom, teacht faoi bhua ó thamall treallchogaíochta, sin

nó breith i mo phríosúnach orm. Chun go seasfainn i
m'Éireannach os comhair chúirt aithigh an Bhéarla
thuaidh nó theas.'

Ní hí an teanga atá ad iarraidh ár dteanga féin a
scornáil chun báis, ní hí a labhródh sé liomsa, ná le haon
chomrádaí eile i Luimneach, in aon am, in aon ghnó,
in aon ghá. Ná leis an gcailín a raibh sé mór léi, focal di.
Ná ina urnaithe fada buana i láthair Dé, focal di.

Dúradh romham é, agus deirimse anseo é: Seán Sabhat
bheadh sé eadrainn beo inniu dá bhféadfadh sé a chreid-
iúint go raibh ceart á dhéanamh sna Sé Chontae Fichead
faoin nGaeilge. Ach séard a chreid sé go raibh cead—
gan cheart—ag lúramh beag seoiníneach chun an Ghaeilge
a cheilt ar agus a choinneáil ón aos óg. Ní bheadh sé ina
fhinné díomhaoin ar an éagóir uspánta sin. Rialtas a
mheasfadh sé a bheith ina fhinné díomhaoin ar an éagóir
sin ní thabharfadh sé géilleadh dó. Throidfeadh sé faoi
arm é. Ag an Dinnéar Bliantúil a bhí ag Institiúid na
mBaincéirí an 24ú Samhain 1956, an tUachtarán atá ar
Choláiste Ollscoile (Náisiúnta) Bhaile Átha Cliath thug
sé caint uaidh inar thagair sé don Ghaeilge.

Bhí sé cruthaithe cheana do lucht na hAthbheochana,
as conspóid mhór a bhí ann i 1949 i dtaobh leaganacha
Gaeilge de pháipéir áirithe scrúdacháin a chur ar fáil,
nárbh aon chara don Athbheochan é an tUachtarán
céanna.

Sa chonspóid sin i 1949 is é Seán Sabhat an té is mó a
shaothraigh anseo i Luimneach chun beart an Uachtaráin
sin faoi na páipéir scrúdacháin a throid. Is maith is
cuimhin liom é.

Agus anois, Samhain 1956, ag an Dinnéar Bliantúil úd,
dúirt an tUachtarán seo (de réir an *Irish Times* den

26ú Samhain 1956) mar seo:

> We have a gross number of metaphysical sacred cows,
> an enormous number of subjects in this country which
> are sacred cows and can't be referred to. The national
> language, emigration, and partition are all sacred cows
> to a large extent and no one tells the truth about them.
> I wish the younger people would deal with these
> subjects.

Fuair a chaint freagra amháin ar aon nós faoi cheann
cúig sheachtain: Beirt ógfhear sínte taobh le taobh i
macha feirmeora in Ultaibh, beirt Éireannach i gcroí
agus i dteanga. An t-anam á bhfágáil le tréigean trom
na fola.

Agus deirtear liom bó, *Sacred Cow*, agus tháinig sí sa
mhacha sin go dtí an dís bhásghonta sin. Agus leag sí a
ceann donn síodúil anuas ar cheann rua Sheáin Sabhat,
agus arís ar cheann dubh Fheargail uí Annluain go
muirneach. An Droimeann Donn Dílis í. *Sacred* í. Ag
uile ghlúin Gael sacráilte í. Socrú Dhia na Ceathrú
hAithne sa nádúr é sin. Is mairg a scannlós í as croí aon
pháiste. Sacráilte ó Dhia í. Agus sacráilte freisin ár
mbeirt dheartháir a thit dá ngrá di go hóg.

> *—Comrádaí do Sheán a scríobh nuair a chuala sé go
> raibh an bheathaisnéis seo á cur i dtoll a chéile*

SEÁN SABHAT

I ngeanchuimhne bhuach ar Sheán Sabhat, Cathmhíleadh Gael,
a maraíodh in ioraíl ionsaithe mhúrtha Bhrookeborough, tráthnóna
Lae Chinn Bhliana 1957.

O thoigh sé ród na Saoirse,
     Seán Sabhat ár ngile laoch;
Oirníodh in ord mairtír é,
     Is i rolla órga Gael.

Tráthnóna Lae Chinn Bhliana
     Nuair d'fhulaing creill is créacht
Ar altóir mhór na saoirse,
     Ag cosaint críche Gael.

Cóirítear leaba laoich dó
     Cois Sionainne na séad,
Is fós ar leacht feartlaoi dó
     'Na theanga dhúchais féin:

' Seán Sabhat fén bhfód seo síneadh
     I mbláth a shaoil 's a réim '
Iar n-éagadh in ioraíl mhaíteach
     Ar mhúr Bhrookeborough aréir,

Óglach de phór na saoirse
     Lean lorg ceart na laoch,
Ag díchur amhas coigríche
     As seilbh ghabháltas Gael.'

Comhbhrón anocht dá mhuintir
     Is don bhaintrigh d'iompair é;
Ach disin fós tréaslaítear,
     Shaolaigh dúinn gile laoch

D'oibrigh agus d'íobair
  A bheatha is a shaol,
Ion's arís go scaoilfí
  An Gallurchall seo den Ghael.

Buan go deo dá chuimhne
  Fá luise duille is bláth;
Agus móradh duitse, a Íosa,
  'Son a bheatha is a bhás.

—An Suíbhneach Meann

SEÁN SABHAT OF GARRYOWEN

In memory of Seán Sabhat
who died for Ireland on January 1st, 1957

'TWAS on a dreary New Year's Day,
  As the shades of night came down,
A lorry load of Volunteers
  Approached a border town;
There were men from Dublin and from Cork,
  Fermanagh and Tyrone,
But their leader was a Limerick man,
  Seán Sabhat of Garryowen.

And as they moved along the street
  Up to the barrack door
They scorned the danger they would meet,
  The fate that lay in store.
They were fighting for old Ireland's cause,
  To claim our very own,
And the foremost of that gallant band
  Was Sabhat of Garryowen.

But the sergeant foiled their daring plan,
  He spied them thro' the door;
Then the Sten guns and the rifles
  A hail of death did pour;
And when that awful night was past,
  Two men lay cold as stone,
There was one from near the Border
  And one from Garryowen.

No more he'll hear the seagull cry
   O'er the murmuring Shannon tide,
For he fell beneath the Northern sky,
   Brave Hanlon at his side,
He has gone to join that gallant band
   Of Plunkett, Pearse and Tone,
A martyr for old Ireland,
   Seán Sabhat of Garryowen.

—SEÁN COSTELLOE

Bhí an bailéad seo ar eolas ag na mílte taobh istigh de mhí i ndiaidh bhás Sheáin. Is beag ceolchoirm ar fud chathair nó chontae Luimní an tEarrach sin 1957 nár canadh ann é. Tá sé ar fáil ar thrí cheirnín : ceann a d'eisigh an Coiste Foilseacháin Náisiúnta, Corcaigh (amhránaí : Willie Reilly); ceann a d'eisigh Comhlacht HMV—I.P. 1264 (amhránaí : Seán Mooney); agus ceann seinmsínte a d'eisigh Pye Records (Sales) Ltd.—NEP. 34013 (amhránaí : Glen Daly).

CAD CHUIGE AN DIOMAILT SEO?
(Maitiú XXVI, 9)

I gcuimhne bhás an bheirt óglaoch, Seán Sabhat agus
Feargal ó hAnnluain, a maraíodh Lá Caille na bliana 1957
Ar dheis Dé go raibh a n-anamacha

'CAD chuige an diomailt anama?'
    A dúradar's ba ghiorraisc a nglór,
A dúirt lucht na heagna
Sa chathair mhór.

Tháinig bean ina láthair
Is soitheach uinge léi,
Do bhris an soitheach luachmhar
Is dhoirt ar chaomh-cheann Dé—
    Agus líonadh den uing-chumhracht
    An teach go léir.

'Cad chuige an diomailt uafar?'
    A dúirt na hAspail léi,
'Gheofá trí chéad pingin air
    Dá ndíolfa é'—
Ach labhair guth an Tiarna
Is dúirt go daingean leo:
    'Pé áit 'na gcraobhscaoilfear
    An Soiscéal seo go fóill
    Beidh trácht 's cuimhne uirthi
    Is ar a gníomh go deo.'

A lucht na heagna móire—
Is chuige an cur amú:
Go líonfaí an domhan plúchta
D'uing-chumhracht úr,
Is go leathnófaí Soiscéal
Ó dhorchadas na huagha.

—MÉIRLEACH

Scríobhadh an dán seo mar fhreagra ar an gcaint a thug an Taoiseach, an tUasal ó Coistealbha, uaidh ar Raidió Eireann, an 6ú Eanáir, 1957.

LAOCH LUIMNÍ

AN sárlaoch uasal gníomhach
    Dhoirt fuil a chroí le fonn
Sa chomhrac, riamh is choíche
In aghaidh camdhlí agus feall
Do sheas an fód go dílis,
Níor ghéill ariamh do namhaid,
Fuair bás le gean dá thírín
Go huaibhreach 'measc na nGall.

Mo mhíle brón ! mo ghéarchás !
Go bhfuil anois fén gcré
An t-ógfhear gléigeal gléineach
Thug uaidh a raibh chun Dé.
Guím glóir na bhFlaitheas ortsa,
Síocháin in ionad gleo,
I bhfochair laochra Bhanban
Do chuimhne go raibh go deo !

—S. B.

SEADAIRE AR LÁR

AR chnocaibh Fáil inniu tá uaigneas cráite,
  Tá brón is cásmhar ar chuile thaobh,
Toisc Seán breá Sabhat bheith leagtha ar lár ann:
  Ag ár seana-náimhde maraíodh ár laoch.

Fear uasal maorga, fear oirirc Gaelach,
  Calaois ná bréaga níor chleacht sé riamh,
É cneasta mánla, é meidhreach macánta,
  Och, nach bocht an cás é gan é fheiscint arís !

Sa tseantroid chéanna a fhear ár laochra
  Ó ghlúin go chéile, gan géilleadh riamh,
Ar chonair na saoirse, mar Tone, an Piarsach,
  Mistéil 's an Daibhíseach, do shiúil sé go fíor.

A ghrá dá thír dhil bhí mar lóchrann soilseach,
  A ghrá do Dhia bhí mar inspioráid,
Ag Seán Sabhat ár gcara, an t-ógfhear calma,
  An Seadaire marbh níor stríoc roimh bhás.

I Luimneach ársa cois na Sionna ábhalmhóir'
  Beidh cuimhne ar cháil a mic go héag;
Ar fud na hÉireann beidh, mar sholas gléineach,
  A dhílseacht don Ghaeilge, dá thír is do Rí na Naomh.

A Dhia sna Flaithis, seo óm chroí chugat aitheasc,
  Do Sheán tabhair gradam le buíon do naomh;
Le Pádraig, Bríd, Colm Cille is Mainchín,
  Is le laochra ár dtíre a ghlaois chugat féin.

—LIAM MAC RAGHNAILL

177

ÉIRE AG LABHAIRT

1ú Eanáir, 1957

D'AIRÍOS feannaid ghéar na gaoith',
   Scréachaíl faoileán feadh na trá,
B'fhada liom síoraíocht na hoích',
   Scáil an bháis ar chnoc 's ar mhá;

Mo chlann go sámh is mé ag caoi,
   Do chuala beirt an t-olagón,
Do phreab siad chugham le buaireamh croí,
   Seán na Rann is Feargal Óg.

' Ná caoin anocht, a mháithrín,
   Ná sil aon deoir,' a dúirt siad liom,
' Ragham araon sa bhearna bhaoil
   Is buailfeam buille ar do shon.'

Airím seordán caoin na gaoith',
   Is cloisim monabhar ciúin na dtonn;
Is cuma liom síoraíocht na hoích',
   Tá úire an earraigh ar chnoc 's ar ghleann.

SMAOINTE CAOINTE ÓGLAIGH

SIN duairc-chlog na marbh
　　Ag cling d'óglaoch eile
Cloíte i gcónra ag filleadh
Abhaile ón gcoimheascar.

Socraigh go ceanúil an macaomh,
Deasaigh a leaba chria,
Ó chian fós tiocfaidh
Daoine d'fheiscint na huagha.

Garbh bóthar na Saoirse,
Líonta le searbh 's deor',
Líonta le glais 's carcair
Go héag—Eochair na Saor.

Do chualamar torann na Saoirse
Anoir ó chríoch Ungáir',
Is glór eile á fhreagairt
Aduaidh ó chríoch Uí Néill.

Slán daoibh uaim, a laochra,
Lámh Dé bhur dtimpeall:
Sinn fágtha faoi bhrón folamh
Ach lánbhród 'nár gcroíthe.

—P. Ó LIATHÁIN

FUNERAL

In memory of Seán Sabhat

I

STOP, friend ! and lift your pitying eyes
   To the skies,
To the smouldering skies of a smoking gyre,
To the fire—
The bitter fire that will burn till a nation dies.
Stop ! Do not weep; do not lie in a dreamless sleep,
Do not weep
For a love that is fresher and sweeter than streams;
In your dreams
Turn to the flames that follow each other and leap !

II

Turn from the cold clay now,
Lay aside pick-axe and spade;
Spare all the sweating and pray
The song that was Pearse's shade
May not die in the cry of a grey
Still day, that a flaming might
Send spirits like his in the way,
Still uncrushed; let no head bow
To the deadening drip of a light
That is sorry and blind and sour.
—For this is a holy hour.

III

No more to write an ending page,
No more to tell of men to men,
No more to face the impious rage
Of those who heed nor word nor pen,
Who fall on wisdom, sick with age:

Now the parchment that you stain
Is the tallow of a forehead's crease,
Your words are dropping with the rain
From echoing distances: release
The flood-gates of the Gael again.

—RISTEARD C. BREATHNACH

THE LIVING DEAD

In memory of Seán Sabhat

I SAW my soul in the laughing stream
  That flashed and splashed through the stony ground,
That welled, by curving roots, on sand
Whose silvering grains were suckling sound
As softly sweet as the magic beam
That steals from a harpist's fingertips;
Its wings were stained with a royal stain
Where the foam had lain on the heather's lips;
Its melody's mould from songs of birds
Made out of love's wild honey mead;
Its colour was taken from flower and weed
Of the cloudy hills, from the mystic hue
Of the secret bell or the chaliced glove:
O passion of colour there, there too
Drunkenness of sound that is mine to woo.

I saw a blood-red moon this night,
Like the dear dim face of a murdered man—
All out of shape—it gave no light,
Wrapped in the fuzzling drape of clouds,
Black, solemn, wondering, silent crowds—
Like sins with a ruined soul adrift :
The blackthorn fingers point at me :
The thin wind whispers ' Guilty.'

Question

' Will you lie dead like one of these ?
  And your pure stream lie limp and flat,
  A stale, unmoving, lifeless pond
  Caught in the sweat of a heavy mist—
  With no reflecting sky of a dream,

No wind-wuffed wave of an up-thrown life,
No bubble to burst your thoughts beyond
The grasp of a pond in its ivy twist.
Green and greasy and muddy as they
Will you ?—
Crushed and mired and sullenly grey
And broken and bound and useless, say,
Is it your fate, too ?

I saw my soul in a silent stream
That slid beneath dipped willow boughs
Deep in the mystery of a dream
That bore a fire and burned to rouse !

Vision

Two blue eyes swimming through dreaming-mist
Lit by the lonely skeins of the moon,
Folding the ditches of fifty fields—
Beyond, the dallying dark of June.

Two eyes that were round with the wonder of life
And deep with the heavenly holds of a child,
That stirred me and lured me and distanced me down
And were soft and sighful and wild—

And wild as the whining of pines they seemed
And wild as the furze that flowered too soon;
They dimmed mine in till of love I dreamed—
And dream—for I still must know my June.

Consummation

I saw my soul in the stream darked down
Where the meadows weep in the Spring-burst dawn,
Where dews soft-kiss young leaves asleep
In wingful springs in the dusky lawn.

I saw my soul where the lifebeams creep
In silent waves on stem and stem
Of the new-born grass and, earthed deep,
The answering green waves leap to them.

The sweet stream suckles the gentle fields;
The light leaps lazily, listlessly—late ?—
The fire frees freshness and yearning yields
The covers bursting to celebrate !

I saw him kneel with the silent crowd—
A brown-faced man, his skirts of brown
Sloped simply round him, and his eyes
Fell humbly from the altar's down.

His proud lips moved: strong Irish words
Poured out in a trembling rush of prayer;
The earth has cried with a heavy hush,
The foam-stripped sea was still and bare.

The mighty moaned; the weak were still;
As man and man were close and pale,
The strange shy strength of a wonder fell—
A deed was done: *the dead don't fail.*

' He died,' he said, ' but in his death
A life is come that is more free,
And prouder, sweeter, stronger still—
    He died to live, eternally.'

—Risteard C. Breathnach

IN MEMORY OF TWO

IN Maguireland at the dawning of the year
   They faced the might of Britain without fear;
Their lives they gave that Ireland might be free—
   Red blood to feed the flame of liberty.

From Monaghan came young O Hanlon bold—
The land that nurtured Connolly years now old;
With conscience clear and soul all snowy white
   He went to meet the Lord of Justice on that night.

Seán Sabhat from the county by the Shannon's side
Came North his vanquished brothers for to guide
In battle against the foes of countless dreary years;
   His death to the cheeks of Róisín has brought tears.

Your funerals were the finest since Ashe was laid to sleep,
All freedom-loving people were there in mourning deep;
The caoine was raised, the prayers were said in Gaelic, sweet
     and low,
   Another chapter ended in the fight against the foe.

God grant the youth of Ireland the strength to carry on,
Until the last drear Saxon from our holy shore is gone;
Your courage and sweet sacrifice shall live from age to age,
   And your names go down indelibly on Ireland's history page.

—SEÁN C. MAC GIOLLA UAIN

THE DREAM

When a young man dies for his country, what does he die for?

He dies not for green fields, silvery lakes, purple mountains, white farm-houses or city streets of pleasant memory. He dies for a people.

You may question his wisdom. You may condemn his methods.

You may hint that he was, in his own way, seeking excitement or that he was dreaming romantic dreams of glory.

But in these days there are plenty of ways of seeking excitement without seeking death. And in these days the romance of swirling flags and glittering swords is gone.

When young men risk death they do so for what they consider a worthy cause, the cause of their nation. And in that word *nation* they wrap up the ideas of ' a people.' They want those people to have liberty to govern themselves properly. They want those people to live in comfort in their homeland, enjoying justice and equality of opportunity.

You may question the wisdom of a young man's methods. You may condemn them. But you cannot question or condemn the dream for which he died.

If you are anything other than a complete self-centred moron, or a despairing cynic, you, too, have that dream in your heart for your people and your children.

And whilst you discuss the young man who dies does it occur to you to examine your own attitude to the dream?

You may praise or criticise him.

But what, beyond discussion, are you doing for the dream ?

You watch the young people moving out to England, Canada, Australia and America.

You fume about the over-all disease of ' patronage ' and ' influence.'

You rant about Governments and Civil Service.

You complain bitterly about the country's lack of money, of production and prestige.

You talk and debate energetically.

But how much do you do ?

When young men die how guilty do you feel ?

How much have you done or sacrificed to remove the obstacles to the dream—the obstacles which build up complete frustration in so many young people ?

The obstacles and the sense of frustration which cause some of our best youngsters to emigrate in despair—and which cause others to seek drastic solutions.

When a young man dies for his country, he dies for a dream that is your dream.

If you believe his methods are wrong, it is for you to demonstrate what methods are right.

How far have you progressed—or even tried ?

—GALLOWGLASS

Foilsíodh san ' Irish Catholic ' 10 Eanáir 1957

BUÍOCHAS

BUÍOCHAS

Is MIAN LIOM buíochas ó chroí a ghabháil leis na daoine go léir a chuir eolas ar fáil dom nó a chabhraigh liom ar shlite eile nuair a bhí an leabhar seo á chur i dtoll a chéile agam.

Tá mé faoi chomaoin mhór ag Séamas Sabhat, deartháir Sheáin, a thug lánchead dom cáipéisí Sheáin a iniúchadh. Tá mé faoi chomaoin mhór freisin ag Gearóid Sabhat, a léirigh dom a lán pointí ná beadh léiriú le fáil orthu ina éagmais.

Ar na daoine eile a chuir comaoin orm—as Luimneach iad mura luaitear a mhalairt—tá Liam mac Raghnaill agus Mícheál ó Corbáin, Baile Átha Cliath; Seán ó hAllmhuráin, Máire de Paor, Máire bean uí Núnáin, Áine bean uí Dhonnchadha, Pádraig ó Maolchathaigh, Eoin de Leastar, Seán ó Brosnacháin, Dóirín ní Dhuibhginn, Nóirín ní Shíocháin, Diarmuid ó Donnchadha, S. E. Ruiséil; Máirtín ó Corrbuí, Pailís Chaonraí; Mícheál mac Cárthaigh, Dún Droma.

Táim fíorbhuíoch de Chríostóir ó Floinn, An Suibhneach Meann, Seán Costelloe, Liam mac Raghnaill, P. ó Liatháin, Seán C. mac Giolla Uain agus Risteard C. Breathnach as cead a thabhairt dom dánta leo a fhoilsiú sa leabhar. Foilsíodh cheana: *Smaointe Caointe Óglaigh* i g*Comhar* ; *Éire ag Labhairt* agus *In Memory of Two* i *Rosc* ; *Cad Chuige an Díomailt Seo?* sa *Limerick Leader* ; *The Dream* san *Irish Catholic* ; *Seán Sabhat* i *Saoirse* ; táim thar a bheith buíoch d'eagarthóirí na nuachtán agus na dtréimhseachán seo as cead a thabhairt dom iad a athfhoilsiú; d'Eagarthóir *Rosc* thairis sin as pictiúir a tharraing Seán Sabhat a chur ar fáil dom; agus d'Eagarthóir *Scéala Éireann* agus d'Eagarthóir an *Irish Independent* as pictiúir den tsochraid a sholáthar dom.

Go gcúití Dia a gcineáltas leo uile !

M. S.

INDEX

INDEX

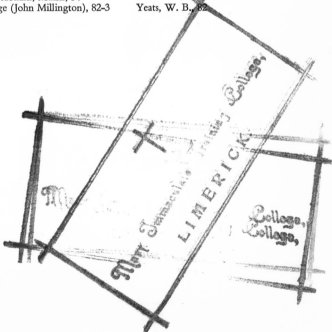

Anne Yeats a dhear an clúdach

arna chló ag
Preas Dhún Dealgan
do Sháirséal agus Dill (1963) *Teoranta*
Baile Átha Cliath